ザ・ランド・オブ・ストーリーズ

THE LAND OF STORIES

赤ずきん 女王への道

QUEEN RED RIDING HOOD'S GUIDE TO ROYALTY

CHRIS COLFER

クリス・コルファー

田内志文＝訳

平凡社

THE LAND OF STORIES

ザ・ランド・オブ・ストーリーズ

赤ずきん　女王への道

最愛《さいあい》のチャーリーへ。

カエルにキスをすれば王子さまと結《むす》ばれる、と女の子は教わるの。

でも私《わたし》は王子さまにキスをして、おかげでカエルと結ばれた。

教訓話《きょうくんばなし》なんて、ずっと苦手だったんだもの。

でも、逆《ぎゃく》ならよかったなんて絶対《ぜったい》に思わないわ。

大好《だいす》きよ。

『赤ずきん 女王への道』に捧《ささ》げる

「レッドが書いた本の中では、
だんとつ一位《い》のおもしろさだね！（全一冊《さつ》中）」
——グラニー

「女王にしか持つことのできない豊《ゆた》かな知恵《ちえ》を、
レッドはその個性《こせい》あふれる声で伝《つた》えている」
——チャーリー・フロッギー・チャーミング王子
、、、、

「過去《かこ》の社会的主張《しゃかいてきしゅちょう》に影響《えいきょう》を受けた政治《せいじ》の指南書の中で、
この本は最高《さいこう》に笑《わら》えました」
——アレックス・ベイリー

「レッドが文字を書けるなんて知らなかったけど、この本はマジでレッドが書いたやつ」

——コナー・ベイリー

「レッドと同じで、この本も変《へん》で微妙《びみょう》」——ゴルディロックス

「レッドには本当に、いつもおどろかされっぱなしだ」

——ジャック

「最高の一冊。そしてコースターとしても最高」

——マザー・グース

「ひづめがふるえた」——三匹《びき》のこぶたの末《すえ》っ子《こ》

「ワン」——クロウディアス

CONTENTS

QUEEN RED RIDING HOOD'S GUIDE TO ROYALTY

BY

QUEEN RED RIDING HOOD

WITH

CHRIS COLFER

赤ずきん 女王への道

赤ずきん女王

with

クリス・コルファー

序章《じょしょう》

君主論《くんしゅろん》と私《わたし》

親《しん》愛《あい》なるずきんの民《たみ》と、ファンの方々と、王国の忠実《ちゅうじつ》なる家来と、そして王国のはみ出し者のみなさん。私のデビュー作『赤ずきん 女王への道』を手に取ってくれてありがとう。自分の一冊《さつ》を手に入れたちっぽけなみなさんの全身をかけめぐる期待とときめき、そして感動がどれほどのものか、私には想像《そうぞう》もつきません。みなさんが興《こう》奮《ふん》して病院に運ばれてしまう前に、何時間も、いや、もしかしたら何日も、長蛇《ちょうだ》の列を作って本を手に入れてくれたにちがいないことに、ありがとうと言わせてください。どうにもできないほどの感謝《かんしゃ》で胸《むね》が苦しくなるほどだとは思いますが、どうぞ落ちついて。感謝しなくちゃいけないのは、私のほうなんですから。

単純《たんじゅん》なみなさんのことですから、きっと同じ疑問《ぎもん》をいだいておいでのことと思います。「なぜこんなにもすばらしい女王さまが、本なんて書いたんだろう?」と。書きはじ

R

めようと椅子《いす》にすわったとき、この私もまったく同じことを思ったものです。その理由は、どこに出かけて行っても熱心《ねっしん》なファンのみなさんから、同じ質問《しつもん》をされたからです。

「女王陛下《へいか》、秘訣《ひけつ》はなんなのですか？ どうやってこの豊《ゆた》かな国を治《おさ》め、数えきれない冒険《ぼうけん》を乗りこえ、それほどまでの美貌《びぼう》と上品さを涼《すず》しい顔でたもってらっしゃるのですか？」

ひとりひとりにいちいち答えるような時間（と忍耐力《にんたいりょく》）がないものだから、私は数かぎりない秘密《ひみつ》をこの本一冊にまとめ、しつこく寄《よ》せられる質問にぜんぶ答えてしまえと思ったわけです。

最初《さいしょ》に執筆《しっぴつ》を思いついたのは、ある夜、模様《もよう》がえをすませたばかりの図書室でくつろいでいたときのことでした。ウィリアム・フルーツシェイクっていう人が書いた『ハムサンド』という、おもしろくてちょっとバカバカしい本を読み終わったところでした――おっと、ウィリアム・シェイクスピアの『ハムレット』だったわね。そして、ほかになにかおもしろそうな〈アザーワールド〉の本はないかと思っていたら、ニコル・マカレナの『君主論』という本を見つけたのです――いや、ニッコロ・マキャベッリだったかしら？　まあ名前なんてどうでもいいのだけれど、本当に最高《さいこう》の本だったのです！　まとめると、『君主論』は女王への道だったんだもの！　すごいと思わない？　どうやって政府《せいふ》をまとめたり、心強い同盟《どうめい》を作ったり、尊敬《そんけい》されるように着飾《きかざ》ったりすればいいか、役に立つヒントがどっさり書かれているんですもの。読んでてとにかく最高だったのは、女王になってからというもの、私がしてきたことはなにもかもが正しかったんだって、はっきりとわかったことでした！　まあいちいち書かなくても、みなさんはとっくにご存《ぞん》じでしょうけどね。

　そのマキャベッリさんという女の人のことばはたしかに役に立つけれど、私にはちょっと時代おくれにしか思えませんでした。まあずっと昔ならしっくりきたんでしょうけれど、今の社会から見ればちょっとズレているんです――フリルのついたブルマみたいにね（この話はまた次の本、『赤ずきん女王 オシャレへの道』でくわしく書くとしましょう）。

　理想の君主といえば、私こそがみちびきの光です。そこで、この古典《こてん》の名作をひとつ書きかえるのは私の義務《ぎむ》だと思ったわけです！　こんな大仕事をするのに、私ほどぴったりな人がほかにいるでしょうか？　これから何分か使い――というか、この一冊をどのくらいで書けるのかよくわからないのですが――私は『君主論』のあれこれと、ずきんの民からひっきりなしに寄せられる要望《ようぼう》を組みあわせて、未来《みらい》の国王や女王、そしてそのしもべたちに愛《あい》される、私なりのガイドブックを作るつもりです。

きっとこのガイドブックは、今という時代に残《のこ》る偉大《いだい》な名作として歴史《れきし》にきざまれることでしょう。だって私は女王だし、なにを歴史に残すか選《えら》べるんですもの。さあ、図書室のすみでこの本に読みふけってください。邪魔《じゃま》されないように、召使《めしつか》いにはどっさり雑用《ざつよう》を押《お》しつけて。子供《こども》がいるならば子守《こも》りに言って、そばには近づかないようにさせること。国会も議会《ぎかい》も〈ハウス・オブ・プログレス〉も、一日休みにしてしまうのです。そしてのんびりくつろぎながら、この歴史的《れきしてき》名作を楽しむのです！

R

第1章

ずきんの下で

自《じ》信《しん》を持って言えるのは、だれかにアドバイスをもらうのならその前に、アドバイスをもらおうと思っている相手をちゃんと知っておくのが重要《じゅうよう》だということです。要《よう》するに、経済《けいざい》や政治《せいじ》、イメージ、チャリティなどなど、国王や女王が知っていなくてはいけないさまざまなムダな問題について話す前に、まずは本当の私《わたし》は何者なのかをお話ししておくのは重要なことなのです。

そんなことを言われても、みなさんのにぶい頭はきっと混乱《こんらん》するばかりでしょう。だって私の横顔はどの硬貨《こうか》にもきざまれていますし、どの街角《まちかど》にも私の像《ぞう》が立っていますし、みなさんのつつましい家にだってまずまちがいなく私の肖像画《しょうぞうが》が飾《かざ》られているでしょうから。その気になれば私のことなんて、好《す》きなだけ知ることができるのです。でも知るといっても、このうるわしい姿《すがた》の話をしているわけじゃありません。私が言っているのは、**ずきんの下にかく**

R

された女の姿のことなのです。

この国を治《おさ》めるようになって今初《はじ》めて、私はみなさんに、わが国民《こくみん》に、私の人生や、気持ちや、心の内や、非《ひ》の打ちどころのない高潔《こうけつ》なたましいをお見せしようと思っています。私の過去《かこ》はきっと、最高《さいこう》におもしろい物語だと言えるでしょうが、今までは、お城《しろ》の外で暮《く》らす人びとには自分から話したことがありませんでした。お城で働《はたら》いていれば一日に何度か、私が過去を思いだしながらあれこれひとりごとを言っているのを聞けるでしょうけどね。

私の物語はきっとみなさんの想像《そうぞう》なんて超《こ》えているでしょうし、聞いてしまったら、今よりもずっと私を尊敬《そんけい》せずにはいられなくなるでしょう。ええ、きっとそうなりますとも。

信《しん》じられないでしょうけど、私も昔はみなさんと同じでした。特別《とくべつ》な女の子だったのに、シンデレラのように、つつましい生《お》い立《た》ちに呪《のろ》われていたのです。まだ〈のろ《CRA》のろ《WL》革命《かくめい》〉（オオカミの自由に反対する人民《じんみん》運動「のろしを上げよ、野良狼《のらろう》に！（The Citizen Riots Against Wolf Liberty）」の合言葉がちぢまってこの名前になった」）のせいで両親と離《はな》ればなれになるずっと前、私は〈ノーザン王国〉の貧《まず》しい農場に生まれました。

しかし両親からひどいあつかいをされたものですから、今こうしてふたりから離れて暮らすことを選《えら》んだのです。

不幸《ふこう》でつらかった少女時代の話をすると、悲しい気持ちになってしまいます。毎朝私はお昼前に無理《むり》やりベッドからたたき出され、家の手伝《てつだ》いや学校の課題《かだい》など、身の毛もよだつようなことばかり押《お》しつけられました。規則《きそく》とか常識《じょうしき》とかいったものに、苦しめられていたのです。門限《もんげん》や就寝《しゅうしん》時間に、ギチギチにしばられてもいました。毎日毎日、お母さんとお父さんは私に「がまんしなさい」だとか「それはダメよ」だとか、イヤなことばかり言ったものです。

いくら私が、もっとやさしくするべきだと言いかえしても、両親は私を無視《むし》して、悪夢《あくむ》はつづきました。私はひとりっ子でしたから、ひとりきりでこらえるしかありませんでした。両親はきっと心の底《そこ》で、私が特別な子なのを知っていたのだと思います。だって、弟か妹がほしいと言うたびに、ふたりとも「もう子供《こども》なんていらないわ」と答えたのですから。

シンデレラとはちがい、私は不幸だからといって頭がおかしくなったりはしませんでした。**そう、ネズミに話しかけたりなんて絶対《ぜったい》にしなかったのです！**　両親からどれだけひどいあつかいをされようとも、もっと大きな自分になれるはずだと信じる気持ちをうしなうことは決してなかったのです（大きな自分といっても、あの夏に太って新しい服を買わなくちゃいけなくなった話は関係《かんけい》ありません）。

いつも週末《しゅうまつ》におばあちゃん《グラニー》の家に行くのだけは、つまらなくてたまらない家での生活を離れられる、大切なひとときでした。グラニーは私を召使《めしつか》いや囚人《しゅうじん》のようにではなく、本当の私、つまり特別な人間としてあつかってくれました。キャンディもおもちゃも、そしてお昼寝《ひるね》も、好きなだけ楽しませてくれたのです。私を思いやりでつつみ、うしなった少女時代をいつくしみ、いつでも「もう一枚《まい》クッキーを食べなさい」とか「それでいいのよ」だとか、あたたかなことばをかけてくれたのです。グラニーがいなかったら、きっと私は生きのびられなかったと思います。

初めてずきんがついたコートを作ってくれたのは、グラニーでした。私の名前にぴったりな色の生地《きじ》を選び、「赤ずきん」と名づけてくれたのです。たぶん私が家に行くたび、そのコートを見て私がだれかを思いだしていたのでしょう。グラニーはかわいそうに、記憶力《きおくりょく》が悪い人でしたから。

ぐうぜん訪《おとず》れた運命のいたずらのせいで、未来《みらい》の私の国で暮らす人びとも苦しんでいました。〈ノーザン王国〉の村や農場は、助けてくれる人もいないまま、延々《えんえん》とオオカミたちに攻撃《こうげき》されつづけていました。そのころは、白雪姫王妃《しらゆきひめおうひ》の継母《ままはは》が玉座《ぎょくざ》についていました。ですが魔法《まほう》の鏡《かがみ》や人殺《ひとごろ》しの計画にすっかり夢中《むちゅう》になっており、助けを求《もと》める人びとの声になんて聞く耳を持ちませんでした。だから今でも、「悪の女王」という名で人びとの記憶《きおく》に残《のこ》りつづけているのです。

やがてオオカミ少年が殺《ころ》されてしまうと、人びとのがまんも限界《げんかい》になりました。村人や農夫《のうふ》は手を取りあい、悪の女王の手を逃《のが》れて自分たちの国を作りあげるため、〈のろのろ革命〉をはじめたのです。

グラニーはその革命で大活躍《だいかつやく》し、運動のさなかに――たしかハンガー・ストライキのときでした――ひどい風邪《かぜ》をひいてしまいました。なんとか体力を取りもどさせなくてはいけなかったので、私のお母さんが体にいいものをバスケットいっぱいに詰《つ》めこんで、森の向こうがわにあるグラニーの家まで私をお使いに出したのでした。

いいですか？　もう一度書きますよ？　私のお母さんは、**オオカミの攻撃と革命で大さわぎだというのに、たったひとりの娘《むすめ》を、ひとりきりで森に行かせたのです！**　わかりますか？　親としてあるまじき行為《こうい》です！　そうしてグラニーの家に行く途中《とちゅう》で、私はみなさんご存《ぞん》じのとおり、あの大きな悪いオオカミと出会ってしまい、そこから世界にふたつとない私の物語がはじまったのです。

この話ついでに、どうしても言っておきたいことが私にはあります。長いあいだずっと私は、大きな悪いオオカミにおばあちゃんの家に行くと言って行きかたまで教えたと、世間から批判《ひはん》をあびつづけてきました。けれど、**私が**責《せ》められるのはまちがいです。なぜなら、これも**両親のあやまち**だったからです。お母さんとお父さんは一度も、「赤《レッド》ずきん、森でオオカミに出会っても、行き先を言ってはいけないよ」と教えてはくれなかったのです。本当に私の身を心配するのなら、もっとちゃんと注意してくれるはずでしょう？

それともうひとつ！ 昔グラニーは何度か、革命でデモに参加《さんか》しました。そんなときにはいつも、変《へん》な服装《ふくそう》をしていたのだそうです！ だから、おばあちゃんの家のベッドに寝《ね》ているのが大きな悪いオオカミでも、私には、それがおばあちゃんじゃないなんて、気づけっこなかったのです！ どんなに賢《かしこ》い女の子でも、きっと私と同じことを思ったにちがいありません。

ふう！ ぜんぶ書いてしまったので、きっとよく眠《ねむ》れることでしょう。次にどうなったかはみなさんもよくご存じでしょうが、いちおう書いておきますね。

大きな悪いオオカミは私をひと口で丸のみにしてしまいました。そして私はオオカミの胃《い》ぶくろの中で、グラニーと会ったのです。私たちはオオカミのおなかで二日間すごしたのですが、みなさんが想像するよりも中は快適《かいてき》でした。ひどいにおいにさえなれてしまえば、あたたかくて居心地《いごこち》がいいくらいだったのです。うれしいことに、飲みこまれる直前にグラニーがトランプをわしづかみにしてきたので、私たちは助けがくるのを待ちながらギャンブルの腕《うで》を磨《みが》いてすごしたのでした。

やがて両親は私が心配でたまらなくなり、狩人《かりゅうど》に力を借《か》りて私をさがしはじめました。その狩人がグラニーの家で、私を丸のみにしたままのオオカミを発見したのです。どうやらグラニーと私を飲みこんだオオカミはすっかり食べすぎて消化できなくなってしまい、ひどい眠気《ねむけ》におそわれていたのでしょう。狩人が斧《おの》をひとふりしてオオカミを退治《たいじ》してしまうと、まるでピニャータ［メキシコのクリスマスでわられる、お菓子《かし》が入った厚紙《あつがみ》のくす玉］から出てくるキャンディみたいにグラニーと私が中から出てきたのです。

救出《きゅうしゅつ》されるころには、〈のろのろ革命〉はもう終わっていました。村人も農夫も、みんなめでたく〈ノーザン王国〉から自由になり、自分の国を作っていたのです。みんなが必要《ひつよう》としているのは自分たちの国の名前、**そして、その国を治めるだれかなのでした！**

グラニーと私がオオカミと出会った武勇伝《ぶゆうでん》は、王さまも名前も持たないその国じゅうにいちはやく知れわたりました（たぶん、私が会う人みんなにその話をしまくったからでしょう）。私たちは〈のろのろ革命〉の本部に呼《よ》びだされました。本部のメンバーは、農夫と羊飼《ひつじか》いがひとりずつ、村の長老《ちょうろう》が三人、そしてニワトリが一羽《わ》でした（今でも、どうしてニワトリなんかが選ばれたのか、さっぱりわかりませんが）。一部しじゅうを聞いた本部の人たちは目を丸くし、私とグラニーこそ国の抱《かか》える苦しみのシンボルだと感じると、女王になってくれるようグラニーにたのみました。

「え？　私が？」グラニーはびっくりしました。「そんな大それたこと、私にできるかねえ。そういうタイプじゃないんだよ」

「じゃあ、ビリー・ボプキンスはどうだろうね？」農夫が、本部のみんなを見まわしました。「あの人ならリーダーとして必要なものをすべて持っているし、うちの村ではだれよりも尊敬されているからね」

「ビリー・ボプキンスはヤギじゃないか」羊飼いが答えました。

「いつから私たちは、差別《さべつ》をするようになったんだね？」農夫が言いかえしました。

「だれか若者《わかもの》にまかせちゃどうかね」グラニーが人さし指を立てました。「なにせ国を作るには、ものすごい体力が必要なんだから」

まるで伝説《でんせつ》やおとぎ話や、フルーツシェイクの本のワンシーンみたいです。本部のみんなは、見えない力に引きよせられるかのように、いっせいに私のほうを見ました。

決して私がピョンピョン飛《と》びはねたり、両腕《りょううで》をあげてブンブンふったり、**「私よ私！私にして！」**なんてさけんだりしたわけじゃありません。そんなのはただのうわさです。まったく、そんなうわさ、さっさと闇《やみ》にほうむってしまいたい！

本部が国の運命をまちがった方向にみちびいてしまう前に、早くなんとかしなくちゃいけないのは私にもわかっていました。だからスッと前に歩みでると片手《かたて》を胸《むね》にあてても う片方《かたほう》の手をあげ、神聖《しんせい》なる女王の誓《ちか》いをたてたのです。

「わたくし、偉大《いだい》なる赤ずきんは、国を治め、民《たみ》につくし、繁栄《はんえい》へとみちびくことを心から誓います。神のご加護《かご》があらんことを」

本部の人たちが、ポカンとした顔で私を見つめていました。第一の候補者《こうほしゃ》ではなかったとはいえ、私がリーダーとして天にあたえられた力を目の当《まあ》たりにして、みんなことばをうしなっていたのです。私が支配者《しはいしゃ》になるために生まれてきた証拠《しょうこ》といえるでしょう。

「じゃあ……赤ずきん女王でいい人がいたら……いいよと言ってください」羊飼いが言いました。本部のメンバーたちが顔を見あわせて肩《かた》をすくめました。私よりもいい候補者がいなかったので、ほかの名前をあげることができなかったのでした。

「いいよ！」ほかのみんながいっせいに声をあげました。

その瞬間《しゅんかん》に、赤ずきんはこの世界からいなくなったのです。私は、**赤ずきん女王陛《へい》下《か》**、その人になったのですから！　そしてそれからというもの、この世界はずっとすばらしいところになったのです。

「国の名前はどうするか、もう決めてるのかい？」グラニーが、本部の人たちに質問《しつもん》しました。

「うーん、ほかの国々のちょうどまんなかで囲《かこ》まれているから、〈まんなか王国〉というのはどうだろう？」農夫が提案《ていあん》しました。

「そんなのダメに決まってる！」羊飼いがさけびました。「名づけるなら〈のろのろ王国〉しかないだろう！」

　この名前にはみんな賛成しましたが、ニワトリだけは別《べつ》でした。私も気に入りませんでしたから、決まってしまわないうちに、静《しず》かにせきばらいをしました。

「私が女王なのだから、私が決めるべきではないでしょうか？　待って……そうよ！　**私は女王なんだから、**だれかの許《ゆる》しなんて必要ないんだわ。私が名づけます！」

　しかし国名を考えるのは、私が女王になってから今まででも、いちばんむずかしい決断《けつだん》でした。私たちの国に、世界一すばらしい名前をつけたかったからです。人びとが誇《ほこ》りに思い、はげまされるような名前……あらゆる国々からうらやましがられるような名前じゃなくちゃいけません。

「よし、決めたわ」私はうなずきました。「国名は〈赤ずきん王国〉にしましょう！」

　本部の人たちは眉間《みけん》にしわをよせてあんぐり口を開け、まばたきひとつせず私を見つめました。あまりにもすばらしい名前だったから、ことばをうしなってしまったのです！　どんなにいじわるな批評家《ひひょうか》だって、〈赤ずきん王国〉というすてきな響《ひび》きを否定《ひてい》することなんてできやしません（それから国名がちょくちょく変《か》わるのですが、その話はしないでおきましょう）。

私はすぐに、女王として大活躍をはじめました。まず第一に、国を治める私の力になってくれる家来を集めました。三匹《びき》のこぶたの末《すえ》っ子《こ》、メェメェ黒羊《ひつじ》さん、小さなマフェットお嬢《じょう》ちゃん、目の見えない三匹のネズミ、靴の家《シュー・イン》のおばあさん、そしてもちろん、グラニーもです！　第二に、二度と人びとがオオカミにおびえながら暮らさなくてもいいよう、国をまるごと囲む壁《かべ》を作るように言いました（これはグラニーの考えです）。

残念《ざんねん》なことに、戴冠式《たいかんしき》ができるようなちゃんとした会場は、まだひとつもありませんでした。ですから私は、納屋《なや》で戴冠式をすることにしました。そして宝石《ほうせき》やマントのかわりに、バケツと犬小屋にしく毛布《もうふ》を使ったのです。納屋には「女王ばんざい！」という人びとの歓声《かんせい》ではなく、**メエメエ、ヒヒン、モーモー**と、納屋にいる羊と馬と牛の鳴き声が響いていました。

おろかな王さまならばすっかりみじめな気分でしょげてしまうでしょうが、私はこのおかげで第三の……そして女王としていちばん重要な仕事を思いついたのです。**そう、私にふさわしい家と衣装《いしょう》ダンスを作ることを！**

国じゅうから最高の建築家《けんちくか》とデザイナーが集められ、私の豪華《ごうか》なお城と最高の服ができました。やっと私も、女王らしい姿で、女王らしく暮らせるようになったのです。そして人びとは美しい女王をひと目でも見て感動しようと……そして言うまでもなく、この私をほめたたえようとして、はるばる長旅をしてやって来たのです！

　やっと私がさずかった運命が動きだしました。ですが、悲しいことにみんなが私と同じくらい喜《よろこ》んでくれたわけではありませんでした。

「選ばれたって、なににだい？」お父さんは、私がニュースを知らせると首をかしげました。

「ちゃんと聞いてよ！　私、女王になったのよ！」私はさけびました。「今から私がいるときには、赤ずきん女王陛下って呼んでもらいますからね！」

「わからないわねえ」お母さんが言いました（お母さんはいつだって、なにもわからないのです）。

「ねえ、私じゃらじゃらじゃらと十キロも宝石をつけて、黄金の馬車に乗ってきたのよ？どこからどう見たって女王さまなのに、なにがわからないっていうのよ？」

「おまえ、まだこの家に住むつもりかい？」お父さんが首をかしげました。

「住むわけないでしょ」私はブンブン首をふりました。「町のどまん中に、私のためにお城を作らせたんだもの」

「じゃあ私たちをそこに引《ひ》っ越《こ》させるつもりなの？」今度はお母さんが首をかしげました。

「なんで？ まだ私を好きに利用《りよう》したいから？」私はフンと鼻を鳴らしました。「もちろん引っ越しなんて必要ないわ。私は女王なんだもの、ふたりとのかけ引きに使う力なんて、これっぽっちもないのよ」

「かけ引きだって？」お父さんが言いました。「レッド、僕《ぼく》たちは君を愛《あい》してるとも。でもおまえは、女王になるにはまだ若《わか》すぎるよ」

生まれてこのかた、そんなにも傷《きず》つくことを人に言われたのは初めてでした。私は女王に選ばれたのだから、ふたりにとっても目の前に立つ私は女王のはずです。その私が礼儀《れいぎ》をもってふたりを尊重《そんちょう》しているというのに、お父さんもお母さんも、私を子供あつかいしているのです。あまりにもムカついた私は、顔をしかめて足をふみ鳴らしました。

「わかった、レッド。あなたは女王さまだわ」お母さんが両手でピースを作り、バカにするように指をくいくい曲げたので、私はムッとしました。「さあさあ、気がすんだら、七時から晩《ばん》ごはんにしましょう」

私はさっさと家を出ましたが、戸口で立ちどまりました。何年もずっと私に胸の痛《いた》みを味わわせてきたことに、後悔《こうかい》や、あやまる気持ちがあるんじゃないかと、ほのかな期待を胸に両親をふり返ってみました。でも、そんなようすなんてちらりともなかったのです。

「もうお父さんにもお母さんにも、私を止めたりなんかできないわ」私は大声で言いました。「あとで、メイドに荷物を取りにこさせるから……そうよ、私にはメイドだっているのよ」

ふたりには、二度と会いませんでした。もっとも、毎月第三日曜日にふたりがお城に来てグラニーといっしょに気まずいディナーを囲《かこ》むときは別ですが、王族用語だと、そのくらいは「二度と会わない」というのです。だから私はそれからずっと自分のお城で、両親からすっかり解放《かいほう》され、平和に暮らしているのです（すこしだけ女王じゃなくなってほかのところに住んでいましたが、この話も今はやめておきましょう）。

さあ、私自身の口からすべての物語を聞いた気分はどうでしょう？　あなたたちの女王は、どんなに困難《こんなん》と挑戦《ちょうせん》に満《み》ちた人生を送ろうとも、それを乗りこえて強く、愛らしく成長《せいちょう》したのです。力と勇気《ゆうき》を与《あた》えるその物語を知った今、みなさんはきっとなんの迷《まよ》いもなく、この本に書かれたみちびきを受け入れてくれることでしょう。

たいへん！　すっかり長くなってしまいました。でも、ここから先はこんなに長くならないので、大丈夫《だいじょうぶ》です。治めるべき国をほうっておくことなんて、私にはできませんから。さあ、ではちょっと失礼《しつれい》して、気持ちのいいバブル・バスでのんびりしてくることにしましょう。

過去を思いだすのは疲《つか》れるものです。私のようにたいへんな人生を送ってきたなら、なおさらです。まさしく、フルーツシェイクのことばどおり。「ずきんをかぶるものは安心して眠れない」のです。

R

第２章
イメージがすべて

君主にとって、もっとも大切で神聖《しんせい》なもの……。それは言うまでもなく、**イメージです！**　君主が「国と国民《こくみん》の幸せと繁栄《はんえい》こそ、私《わたし》にとっていちばん大きな願《ねが》いである！」と言うのは、人気をあげて革命《かくめい》がおきるのを避《さ》けたいからです。これは本当のことです。**私だってそうだったのですから！**

「胸《むね》の中にあることこそ、本当にだいじなのだ」なんて言うあわれなおろか者のことばに、まどわされてはいけません。そんなの、まったくの嘘《うそ》っぱちなのですから！　玉座《ぎょくざ》に腰《こし》かけると、中身などより外見のほうがずっとだいじになるのです。君主として生《い》き残《のこ》るには、人にバカにされたり見下されたりしているようではダメ。それを避けるための第一歩が、外見なのです。太ってうす汚《ぎたな》い相手を尊敬《そんけい》しようという人なんて、だれもいやしません。どこかを目指そうと思っても、君主らしい外見で、君主らしくふる舞《ま》わ

R
The Royal
A P P
Appearance
Performance

なくては、その場から一歩たりとも動くことはできないのです。

国民にとって、君主とは神の代わりです。なぜなら、国民をひきいるために神さまがあなたを選《えら》んだからです（私の場合はもしかしたら、農夫《のうふ》と羊飼《ひつじか》い、老人《ろうじん》三人、あとニワトリ一羽《わ》に選ばれたくせにと言う人もいるかもしれません。それについては「神さまのすることは謎《なぞ》めいているものなのです！」と言っておきましょう）。だからあなたは国民の前では、なにも欠《か》けるところのない完璧《かんぺき》な姿《すがた》で、神さまの代わりをしなくてはいけません。ある意味、あなた自身が神さまのようにならなくてはいけないのです。

この完全無欠《かんぜんむけつ》の姿は、簡単《かんたん》なスリー・ステップで手に入ると、私は信《しん》じています。私はそれを、ロイヤルＡＰＰと呼《よ》んでいます。外見（Appearance）、能力（Performance）、そして印象（Perception）です。

外見

国王や王妃《おうひ》というものはときとして、国外の人びとがその国を知るたったひとつの手がかりになることもあるものです。つまり、政府《せいふ》、経済《けいざい》、国民の暮《く》らしといったものがどんな状態《じょうたい》なのかが、あなたの外見だけで判断《はんだん》されるということです。言ってみれば、あなたの本が表紙だけで判断されるということ。だから、**すてきな表紙をつけなくてはいけない**のです！

さて、ちょっと正直に考えてみましょう。私は、農業の国の女王です。ですから、正確《せいかく》にこの国の女王らしくふる舞おうとするならば、私はボンネットをかぶって、足元をかけまわる動物たちといっしょに歩きまわってみせるでしょう。でも、そんなのは**絶対《ぜったい》にありえません！**　さいわいにも、この国に品位《ひんい》ある立派《りっぱ》なイメージをうえつけるのは、私の役目です。世界じゅうから、杖《つえ》をついたブタ飼《か》いばかり住んでいる国だと思われるのは、たとえ本当にそうだとしても、まっぴらごめんです。ですから真実の姿よりも、私の国が持つ**可能性**《かのうせい》に見あった外見を選ぶことにしたのです。みなさんもそうするよう、強くオススメします。

私はこの〈赤ずきん王国〉が、名前のとおり美しく、豊《ゆた》かで、だれもが平等に暮らせる国になると信じています。だからそのように着飾《きかざ》りますし、それが大きな利益《りえき》を国にもたらしてくれるのです。私のファッション・センスのおかげで、わが国は隣国《りんごく》ととてもいい関係《かんけい》を作ることができているのです。私を見た人はみな、この国のことを私のように、強く、豊かで、洗練《せんれん》された国だと思うのですから（それに、私たちが全世界の食料《しょくりょう》の三分の二を生産《せいさん》しているという事実もまた、その助けとなってくれるでしょう）。

私が立派に見えるほどこの国も世界から立派に見られますし、この国が世界から立派に見られるほど私はずきんの民《たみ》から立派に見られます。こんなすばらしく、そして楽しいサイクルをへて、私はさらに立派な君主になっていけるのです。

みなさんももうわかったと思いますが、私がぜいたく品を求《もと》めるのは、まったく自分のためなんかじゃありません。ドレスも、宝石《ほうせき》も、お城《しろ》も、パーティーも、ぜいたくなライフスタイルはなにもかも、ずきんの民の繁栄を願ってのこと。国民みんなのために、私はあえてそうしているのです。

能力《のうりょく》

君主というものはいち早く、いかにふる舞うかを学ばなくてはいけなくなります。そして、それがどんなにつらくとも、決して疲《つか》れや怒《いか》り、飢《う》え、羨望《せんぼう》なんかを表情《ひょうじょう》に出したりしてはいけません。しっかりと落ちついた顔をしていることしか、許《ゆる》されないのです。感情《かんじょう》を顔に出せば弱さだと思われます。そして弱さを見せるというのは、君主にとって危険《きけん》なことなのです。

「おトイレに行きたいの」とか、「お昼寝《ひるね》がしたいな」とか、「出ていかせてくれないなら、あばれてやるんだから！」とか、そんなことは絶対に言ってはいけません。そういうことが言いたくなったら、「さあ、国の問題を考えるためひとりになってきます」というセリフを選ぶことです。そう言えばだれにも責《せ》められたりしませんし、大切なひとりの時間を確実《かくじつ》に手に入れることができるからです。または、たとえば村人たちがしゃべりつづけて止まってくれないときなどには、「失礼《しつれい》。今言わなくてはいけないとてもだいじな問題があるのを忘《わす》れていました」とさえぎりましょう。

もちろん、私たちはみな、人間とはどんなものなのかをちゃんと知っています。どうしても人間らしさをかくしておけなくなることが、私たちにはあるものです。神さまはときどき、人を病気にしたり、疲れさせたり、顔をむくませたりすることもあります。ですが私には、そんなときのための解決策《かいけつさく》が、ちゃんとあるのです。それは、宝石です！　元気をなくしてしまったときのため、いちばん上等で、いちばんまばゆい宝石を用意しておきましょう。輝《かがや》くダイヤのネックレスで目がくらめば、だれにももうあなたの目の下にできたくまなんて見えません。金貨《きんか》百万枚《まい》の値打《ねう》ちがある宝石を身につけていれば、あなたは金貨百万枚の値打ちがあると人に思わせることができるのです。

印象《いんしょう》

これは、ロイヤルAPPでもっとも重要《じゅうよう》な部分です。あなたがまちがいさえおかさなければ、しっかりした印象のおかげで、あなたの外見と能力を、ずっと簡単にあやつれるようになるからです。

一生に一度でも生《なま》の私を目にできる幸運に恵《めぐ》まれるのは、国民の十人にひとりだけです。さて、直接《ちょくせつ》顔をあわせる機会《きかい》がほとんどないのなら、どのように国じゅうに存《そん》在感《ざいかん》をしめせばいいのでしょうか？　答えはとてもシンプルで、歴史《れきし》がはじまったころから君主たちはみんなそうしています。それは、**ほめたたえられる君主**になることです。

君主たちが自分の肖像画《しょうぞうが》や彫像《ちょうぞう》を国のいたるところにたくさん飾《かざ》らせるのには、ちゃんと理由があります。目立ちたいから、というのも真実です。しかし頭のいい人というものは、その目立とう精神をうまく活《い》かすものなのです。そのねらいは、会うこともない人たちに「あなた」を知ってもらうことです。私がわざわざカギカッコをつけて「あなた」と書いたのは、あなたが人に知ってほしいと思っている「あなた」は、もしかしたら本当の姿とちがうかもしれないからです。説明《せつめい》しましょう……。

社会から尊敬され愛《あい》されるには、ちょっとした洗脳《せんのう》が必要《ひつよう》です。ひどい言いかたに聞こえるかもしれませんが、これは真実です――そう、天井《てんじょう》に灯《あか》りがついてるのと同じくらい、あたりまえのことなのです。ですが、心配いりません。農夫というものは農業のことで頭がいっぱいですから、洗脳なんてされてることにも気づかないものなのです。洗脳どころか**「洗《あら》う」**ということを理解《りかい》させることすら、ひと仕事なのですから。

国のあちこちに計画的《けいかくてき》に置《お》かれ、無意識《むいしき》に訴《うった》えかけるメッセージに、実は自分たちの判断が左右されているかもしれないなんて、気づかれるとは思えません。私だって、自分がたった今書いたばかりのことがよくわかっていないくらいなのですから。

王さまや王妃のほとんどが、肖像画などの自分を本物よりきれいに描《えが》かせるというのは、今やあたりまえの話です。肖像画と本物の君主を見くらべたら、あなたもきっとおどろくでしょう。やれやれ。本物そっくりに描こうと思ったら、きっとこの世は見るにたえない肖像画まみれになってしまうはずです。

しかし君主たちのほとんどは自分を実物より魅力的《みりょくてき》に見せるためだけでなく、君主としての姿をごまかすために、肖像画や彫像を利用します。臆病《おくびょう》な君主は、おそろしそうな姿に描いてくれるよう画家にたのむでしょう。借金《しゃっきん》まみれの君主は、財宝《ざいほう》に囲《かこ》まれた姿を描くよう命じるでしょう。チビを気にしている君主は、町の中心に背《せ》が高い自分の像《ぞう》を立てるように言うかもしれません。孤児院《こじいん》にいる鼻水をたらした子供《こども》がきらいな女王がいれば、たぶんそのような子供を抱《だ》きしめている自分の絵を描かせるでしょう。

こうした手段《しゅだん》はどれもこれも、君主が自分の印象操作《そうさ》をおこなうのに重要なものばかりです。勇気《ゆうき》、富《とみ》、身長、やさしさ……君主としてのあなたに欠けているものがどんなものであれ、それとは逆《ぎゃく》の肖像画や彫像を作らせてしまえば、だれのことでもごまかせるのです。

もちろん、この私はそんなことしません。幸運なるずきんの民は、真に美しい最高《さいこう》の女王に治《おさ》められているのですから。芸術家《げいじゅつか》がいくら私を**もっと美しく、もっとすばらしく**描こうと思っても、そんなのは無理《むり》な話です。どんな肖像画よりも、どんな彫像よりも私がずっと美しいのは、この国の人びとならばだれでも知っているでしょう。

さあ、これでロイヤルＡＰＰの説明は終わりです！　日ごろからこれをおこなえば、あなたは周囲《しゅうい》の人びとだけでなく、あなた自身にまで「自分は完璧なのだ」と信じこませることができるようになるでしょう！

国を背負《せお》うというのは、ものすごいプレッシャーがかかるものです。でも、ここでひとつ、白雪姫《しらゆきひめ》の友人、七人の小人《こびと》たちのことばを紹介《しょうかい》しましょう。「圧力《プレッシャー》が、土をダイヤモンドに変《か》えるんだ」

まずは自分のイメージを完璧にしてから、次に優先《ゆうせん》すべきもの、つまり国や国民の幸せに目を向けること。どんな国にもまず「私」が必要であることを、忘れてはいけません。

R

第3章

おせじにご用心

新しく君主になると、まずおせじには気をつけろと教わります。最後《さいご》には裏切《うらぎ》るつもりで、まずは信頼《しんらい》を勝ちとろうとあなたをほめたたえ、おせじを言う人がいるからです。ですからしっかり警戒《けいかい》し、下心をかくしている人がいないか、ちゃんと目を光らせておかなくてはいけません。

この話は、**みにくい君主**にとってはものすごくいい勉強になるでしょうが、私《わたし》にはまったく関係《かんけい》ありません。あなたも知ってのとおり、私は超絶美貌《ちょうぜつびぼう》の持ち主なのですから。だれにもおせじを言われないように暮《く》らそうと思ったら、ひとりきりになるしかありません。むしろ、目の前にいるだれかにおせじを言われないほうが、私にとってはよっぽど心配です。私の場合はそういう、**おせじを言わない人**に目を光らせなくてはいけないのです。

うれしいことに私には、どこかの君主みたいに、本当に

R

人が自分をほめたたえているのかどうか、うたがったりする必要《ひつよう》がありません。私をほめたたえる人は、ただ本当のことを言っているにすぎないからです。私をすばらしいとか美しいとか言うのは、太陽はまぶしい、草は緑だ、と言っているようなものなのです。そしていくら事実をたくさんならべても、私の気持ちはちらりとも動いたりしないのです。

多くの君主は、ほめことばには気をつけなくてはいけません。みんながみんな、私のように魅力《みりょく》にめぐまれているわけではないからです。ですが、おせじがなければ、君主になる楽しみなんて、私に言わせればなにもなくなってしまいます。自分の栄光《えいこう》を人にほめたたえられるのを楽しめないのなら、王冠《おうかん》をかぶっている意味なんてないじゃありませんか？

私は容姿《ようし》にめぐまれたので、きっと自分でも知らないうちにこの問題を解決《かいけつ》してしまっていたのだと思います。ですが私とちがい容姿が残念《ざんねん》な人は、どんなに魅力的《みりょくてき》でなくとも、**あなたをたたえなくてはいけない法律《ほうりつ》を作ってしまいましょう**。目の前にあなたがいるときには、最低《さいてい》でも一時間に三回はたたえさせるのです。自分で自分をほめたたえるのも、忘《わす》れてはいけません。どんなにすばらしいか自分をほめるまで、ベッドから出ないことです！　あなたをたたき、攻撃《こうげき》し、責《せ》めようとする人たちの声がすっかり聞こえなくなるまで、ほめことばに浸《つ》かりつづけるのです。みんながそうしてほめたたえていれば、あなたに害《がい》をなそうとする人びとの声は、すんなりとあなたの頭の中に入ってくることができなくなります。だれかがあなたに影響《えいきょう》をあたえようとしても、あなたはもうだれの影響も受けなくなるのです。

第4章
家臣《かしん》を任命《にんめい》する

君主にとって、人を信頼《しんらい》するのはむずかしいことです。ですから、自分がたよれると思う人を家臣の輪《わ》に加《くわ》えることには、とても重要《じゅうよう》な意味があるのです。もしだれかがあなたを玉座《ぎょくざ》から引きずりおろそうとたくらんでいるのがわかっても、自分を責《せ》めすぎてはいけません。そういうことは、よくある話なのですから。便利《べんり》なのは、もし家臣のだれかがあなたを裏切《うらぎ》ったり、ひどくがっかりさせたりした場合には、処刑《しょけい》できることです。そのために私《わたし》たち君主は「反逆《はんぎゃく》」というすばらしいことばを発明したのです。おかげでだれもが、うかつなことをするまいと気をつけるのですから!

人を家臣に任命するのならば、ぴったり合った役職《やくしょく》にしなくてはいけません。だれになにを任《まか》せるにしろ、国民《こくみん》が「その仕事を任せるなら、その人しかいない」とうなずいてくれるような人でなくてはならないのです。私は新しい

R

政府《せいふ》を作ってからというもの、これまでいくつもの役職を作ってきました。ここではあなたの参考《さんこう》になるよう、私の家臣たちと、なぜその人に役職を任せたのかを説明《せつめい》しましょう。

三匹《びき》のこぶたの末《すえ》っ子《こ》、女王補佐官《ほさかん》

政治努力《せいじどりょく》をおし進めていくには、強い責任感《せきにんかん》を持つだれかがいなくてはいけません。すぐれた決断力《けつだんりょく》と、どんなに苦しい状況《じょうきょう》もなんとかできる能力《のうりょく》を持つ人でなくてはいけないのです。私はこの国で、末っ子ブタほどふさわしい者を、だれも思いつきません。末っ子ブタは、すぐれた決断力で有名でした！　ほかの材料《ざいりょう》ではなくレンガで家を建《た》てたおかげで、大きな悪いオオカミに殺《ころ》されずにすんだのです。それからというもの末っ子ブタは、私が苦しい決断《けつだん》を迫《せま》られるたびに、すぐれた解決《かいけつ》能力とさりげないアドバイスとで、政府を助けてきてくれたのです。末っ子ブタは私にとって、岩のように……いや、**レンガ**のようにたのもしい存在《そんざい》なのです。

マフェットお嬢《じょう》ちゃん、国防長官《こくぼうちょうかん》

マフェットお嬢ちゃんはクモと出くわしてしまった話が有名ですが、それからというもの、許《ゆる》しもなくとなりにすわることをクモに禁止《きんし》しようと心に誓《ちか》いました。そうして自分を守るのとまったく同じように、マフェットお嬢ちゃんはこの国を守ってくれています。まわりでなにか起きないかしっかりと目を配り、危険《きけん》なきざしがあれば、さっとそこを離《はな》れるのです。凝乳状食品《ぎょうにゅうじょうしょくひん》［チーズなど、牛乳《ぎゅうにゅう》を固《かた》めて作る食べもののこと］の依存症《いぞんしょう》なのはかわいそうですが、今のところ仕事のさまたげにはなっていないようで、助かっています。

メェメェ黒羊《ひつじ》さん、財務《ざいむ》長官

黒羊さんは私が知るかぎりいちばん前向きな動物ですが、これは王国のお金の責任《せきにん》者《しゃ》にはとても重要な才能《さいのう》です。黒羊さんといえばいつでもウールをたくわえているので有名ですが、この国が借金《しゃっきん》まみれにならないよう、お金をちゃんとたくわえておいてくれるのです。私が王国の経済状況《けいざいじょうきょう》の見とおしは明るいかとたずねると、「ええ、とても。ええ、とても。銀行三つがいっぱいですよ」と答えてくれるのです（前の財務長官はヘニー・ペニー〔『マザー・グース』に登場するニワトリ。トウモロコシを食べているときに頭の上にどんぐりが落ちてきたのを空が落ちてきたとかんちがいし、王さまに知らせに行く〕さんだったのですが、この人はものすごい心配性《しんぱいしょう》でした。いつでも空が落ちてこないか心配をしているような人の居場所《いばしょ》は、政府にはありません）。

ジャック・ホーナー、栄養《えいよう》長官

食べものに困《こま》らない国は、幸せな国です。そしてジャック・ホーナー〔『マザー・グース』に登場する少年。両親がいないあいだに、クリスマス・パイに親指をつっこんで、プラムをほじり出してしまった〕は、食料《しょくりょう》の供給《きょうきゅう》となると天才的《てんさいてき》な人です。大きな飢饉《ききん》がこの国をおそったときですら、ジャック・ホーナーは農夫《のうふ》たちといっしょになり、みんなに食べものがいきわたるようになるまで、休まずに働《はたら》いてくれたのです。ジャック・ホーナーはほとんどなんにでも親指をつっこんで、プラムをほじくり出してしまいます。ですが最近《さいきん》、やってはいけないところでも、親指をつっこむようになってきてしまいました。一度話しあわなくちゃいけないと、とても悩《なや》んでいます。

目の見えない三匹のネズミ、最高裁判事《さいこうさいはんじ》

正義《ジャスティス》の女神《めがみ》は目かくしをしていますが、このネズミたちも同じです！　この役職を決めるのは簡単《かんたん》でした。三匹のネズミは人種《じんしゅ》や性別《せいべつ》、身分、生《お》い立《た》ちなどで人を判《はん》断《だん》せず、法廷《ほうてい》に出された証拠《しょうこ》だけをたよりにものごとを決めるのです。とはいうものの、とある種族《しゅぞく》にはややきびしめなのも事実――そう、特《とく》にネコ科の民《たみ》にはきびしいのです。おかげでこの国の歴史《れきし》にはネコ科動物の大移動《だいいどう》という事件《じけん》がきざまれることになってしまいました。もっとも、だれもネコ科の民を恋《こい》しく思ってはいないのですけど。

靴《くつ》の家のおばあさん、歴史局長

過去《かこ》の君主たちと同じあやまちをおかさないためには、歴史をよく知る生き字引きをそばにおいておくのがとても便利です。私は、靴の家のおばあさんならその役目にぴったりだと思いました。十数人の子供《こども》と、百数十人という孫《まご》を育てあげたのですから、知らないことなどなにもありません。そんな物知りがいてくれるなど、奇跡《きせき》です。歴史過去のできごとをなんでもパッパッと思いだしてしまうのは、まさにおどろき。歴史を語りだしたら、黙《だま》らせるのがむずかしいほどなのです。

グラニー、最高顧問《さいこうこもん》

最後《さいご》に、いちばん重要な最高顧問には、大好《だいす》きなグラニーのほかにだれもいはしません。最高顧問は、君主にとってもっとも重要な人です。あなたはその人を心の底《そこ》から信頼しなくてはいけませんし、最高顧問のほうも、心からあなたのためを思ってくれないといけません。私がだいじな決定をくだすための準備《じゅんび》、たとえば調査《ちょうさ》や研究などを、グラニーはいつもみごとにやってくれます。グラニーがいなければ、私はこの国をこんなにうまく治《おさ》められてはいないでしょう。実をいうと、グラニーは自分が役職についているのを知らないのではないかと思います。ひょっとしたら、ただ口を出さずにいられないだけなのかもしれません。

第5章
国民《こくみん》はペットのようなもの

自分のイメージを作るのと同じように、国民との関係《かんけい》をきずくのはとても重要《じゅうよう》です。自分自身を知ることにくわえ、国民に「自分たちの国はどんなタイプの君主が治《おさ》めているのか」を知ってもらうのも、同じくだいじなことなのです。

よく知られているように、リーダーにはふたつのタイプがあります。それは、暴君《ぼうくん》と名君です。ニコル・マカレナも有名な『君主論《くんしゅろん》』の中で「おそれられるのと愛《あい》されるのと一方を選《えら》ぶならば、どちらがいいか？」というようなことを言っています。もちろん、今のは私《わたし》が言《い》い換《か》えたことばです。私は国を治めながら本を書いているのですから、いちいち調べて書くような時間はないのです。

国王も女王も、君主というものは自分の国をほかの国々とはちがう目で見るので、どちらの道を選《えら》ぶかはとてもむずかしい決断《けつだん》になります。暴君の道を選ぶ国王も、少なく

K

ありません。怒鳴《どな》りつけるようにして人に命令《めいれい》し、恐怖《きょうふ》をうえつけることで無理《むり》やり人に自分を尊敬《そんけい》させ、まるで海賊船《かいぞくせん》の船長のように自分の国を支配《しはい》するのです。女王の場合はたいてい、母親みたいに国を治めます。国民をわが子と同じにあつかい、愛情《あいじょう》をかけた見かえりに、人びとの尊敬を集めようとするのです。

私は個人的《こじんてき》に、どっちも意味がわかりません。いきすぎた恐怖は人にうらみを抱《いだ》かせますし、いきすぎた愛情はもろさを生みだしてしまうからです。マカレナは「残酷《ざんこく》さとやさしさ、どちらを取るか」の問題と言いましたが、これは、残酷さとやさしさの正しいバランスを見つけよう、という話なのです。さあ、それでは三つめの選択肢《せんたくし》をみなさんにお教えするとしましょう。これを読んでいるみなさんは幸運です。というのも、私は君主と国民の理想的《りそうてき》な関係というものを、完璧《かんぺき》に言いあらわすことができるからです。

国民はペットのようなもの

もちろん、国民をひもでつないだ動物あつかいすれば、眉《まゆ》をひそめる人もいるのはわかっています。なので、私が言いたいことをすこし説明《せつめい》させてください。これからあげる例《れい》を読めば、きっとあなたも理解《りかい》してくれるはずですから。

❶ペットと同じように、国民も食料《しょくりょう》を与《あた》えられ、屋根に守られ、いいことをすればほめられ、悪いことをすれば罰《ばつ》せられ、心安らかにいられるよういつくしんでもらわなくてはいけません。

これに反論《はんろん》がある人はいないでしょうし、先を続《つづ》けます。

❷だれが主人なのかは、はっきりさせるべきです。あなたが自分の飼《か》い主《ぬし》であること、歯向かおうものなら罰をうけなくてはいけないことを、ペットは絶対《ぜったい》に忘れてはいけないのです（考えてみれば、私と人との関係はすべてこれです）。

まだ反論はありませんね？　よろしい！

❸ もしペットがとなりの庭に入ってしまった場合、そこでなにかすれば、あなたの責任《せきにん》になります。だれかをかんでしまうようなことがあれば、おとなしくさせなくてはいけません。

もうすこし細かく説明しましょう。もしずきんの民《たみ》のだれかがとなりの国に行って悪いことをしたならば、私にとっては好《この》ましくない影響《えいきょう》をおよぼしてしまうでしょう。私がなにもせずにいたら、なおさらです。罪《つみ》をおかした国民に君主がきっちり罰を与えないと、戦争《せんそう》が起きてしまうかもしれないのです。

つい先週ラプンツェルは、自分の国の民が〈チャーミング王国〉で放火の罪をおかしたので、絞首台《こうしゅだい》に送りました。ほかにどうしようもありませんでした。ラプンツェルがそうしなければ、チャーミング家が非難《ひなん》の的《まと》になっていたはずだからです（なんでも、ラプンツェルの髪《かみ》で編《あ》んだ縄《なわ》で処刑《しょけい》されたそうです。でも、いくらラプンツェルとはいえ、これはさすがにちょっとやりすぎだと思います）。

とにかく、国民にはしっかり目を配っておくこと。私の国を囲《かこ》んでいる壁《かべ》はオオカミを入れないためだけに作ったのではありません。問題ばかり起こすおろか者を中に閉《と》じこめておくためでもあるのです。さあ、次に移《うつ》りましょう！

❹ペットは楽しませてあげなくてはいけません。よく運動しているペットとちがい、ストレスをためたペットは飼い主に敵意《てきい》を抱きがちだからです。

だからこそ、国民も参加《さんか》できる恒例《こうれい》行事やお祝《いわ》いごとを作るのがだいじなわけです。パレードを開き、式典《しきてん》をおこない、ときどきは国民の休日を作りましょう。この国に住んでいてよかったと思えば、国民はこっそり集まってあなたを玉座《ぎょくざ》から追い落とそうなんて考えたりしません。わかりましたか？　たいへんよろしい！

❺ペットにはどの習性《しゅうせい》がアリで、どれがナシか、はっきりとわからせること。

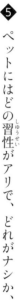

A トイレは決められた場所でする。

B お客に飛《と》びついてはいけません。

C 人にかみついたり、吠《ほ》えたり、脚《あし》に抱《だ》きついておしっこをかけたりしてはいけません。

こういう面倒《めんどう》な習性が当てはまるのがペットだけならいいのですが、この国を見まわせば奇人変人《きじんへんじん》もごろごろいるのです……。長い話になるので、次に進みましょう！

これもだいじなことです。

❻ 苦難《くなん》のときには、キラキラしたもので国民の目をごまかすこと。

これが国民にどう働《はたら》くのかがわからなければ、第2章を開いて、宝石《ほうせき》について書いた部分を読んでください。

私がたいへんわかりやすく書いたとおり、問題は「おそれられるか、愛されるか」ということではありません。いかにそのふたつを組みあわせるかなのです。あなたがいなくては生きていくこともできない、あどけない目をした動物の飼い主になることを想像《そうぞう》する……それが言いたいのです。ほら、非《ひ》の打ちどころがないでしょう？

本当にそんな話が役に立つのかうたがうのなら、ペットを飼ってみることをオススメします。私もいかに国を治めればいいのかを、歴史上《れきし》の君主たちよりも、巨大《きょだい》なイヌ科動物、クロウディアスから学んだのですから。

あなたが国民との関係をどのように決めるかはともかく、急いで決めてしまうのがとても重要です。国民と自分とのあいだに境界線《きょうかいせん》を引いてガイドラインを作るのが早いほど、国民も早くそれに自分たちを合わせ、なれていってくれるのですから。

国民を悪い意味でおどろかせるのは、**絶対にいけません！**　そういうことをする君主は、理不尽《りふじん》な君主と思われます。理不尽に**憎**《にく》**しみ**を抱かれ、憎しみが革命《かくめい》を呼《よ》び、革命になれば村人たちがドッとあなたのお城《しろ》に押《お》しよせてくるのです。私になにより も嫌《きら》いなものがあるとすれば、それは招《まね》いてもいないお客です。

君主とはいつでも国民にとってわかりやすいものでなくてはいけませんが、確実《かくじつ》に安全なときには自分の思うようにふる舞《ま》うこともだいじです。わかりやすいのと、同じことばかりしているのとは、微妙《びみょう》にちがいます。同じことばかりくり返していれば、国民はやがてがっかりしてしまうでしょう。スパイスを効《き》かせていいのは、絶対に胸《むね》やけや消化不良《ふりょう》を起こさないとわかっているときだけ。おならのにおいが漂《ただよ》う国になど、だれも住みたがらないでしょうから。

さあ、この章ではむずかしいことばやたとえ話をたくさん使いました。われながらすごいと思います。政治《せいじ》の天才とは、疲《つか》れるものです。今夜はもう羽根《はね》ペンをおいて休むとしましょう。

明日は早起きして、国のようすを見に散歩《さんぽ》に行かなくてはいけません！　わかりますか？　国民は、ペットみたいなものなのです。それでは、おやすみなさい。

R

第6章
スキャンダルを利用《りよう》する

スキャンダルほど、君主の評判《ひょうばん》に傷《きず》をつけるものはありません。敵《てき》はいつも、政治的《せいじてき》なものであれ個人的《こじんてき》なものであれ、あなたの名をおとしめるのに利用できる材《ざい》料《りょう》はないかと目を光らせているのです。どうせ国を治《おさ》めていれば、スキャンダルは絶対《ぜったい》に出てくるものです。つまり避《さ》けようがないのですから、私《わたし》もなんとか避ける方法《ほうほう》などを教えて時間をムダにしたくありません。**骨折《ほねお》り損《ぞん》のくたびれもうけ**というものです！　そんなことより、スキャンダルが明るみに出たときのためにエネルギーをたくわえておき、**スキャンダルそのものを自分のために利用すること**にすべてのエネルギーをそそぐのです！

　何年か前、私はひどいはずかしめを受けて、あやうく玉《ぎょく》座《ざ》をうしないかけました。さいわいにも、私はみごとにその状況《じょうきょう》を逆転《ぎゃくてん》させて自分の味方につけ、私を攻撃《こうげき》してきた人たちが、残酷《ざんこく》で心ない人であるかのように、ずきんの民《たみ》

R

に見せることができました。おぼえておいてください。だれかがあなたに人さし指を向けたなら、残《のこ》りの三本指は自分のほうを向いているのです（ただし、ひづめの持ち主は当てはまりませんので、あしからず）。

自分に向けられた指がなにをさしているのかを見きわめる能力《のうりょく》を、磨《みが》かなくてはいけません！　みんなの前であなたを攻撃しようとする人は絶対に、逆《ぎゃく》にあなたが攻撃できる材料を持っているものです！　説明《せつめい》しましょう……。

ある日の午後、私は家臣《かしん》たちをお城《しろ》に集めて楽しいお食事をふる舞《ま》っていました。グラニー、靴《くつ》の家のおばあさん、三匹《びき》のこぶたの末《すえ》っ子《こ》、ジャック・ホーナー、マフェットお嬢《じょう》ちゃん、メェメェ黒羊《ひつじ》さん。みんな集まっていましたが、目の見えない三匹のネズミだけがいませんでした。甥《おい》っ子のヒッコリー・ディッコリーがまた柱時計でなにか面倒《めんどう》を起こしたせいで、遅刻《ちこく》していたのです（まったく、長靴《ながぐつ》をはいた猫《ねこ》は、必要《ひつよう》なときにはいないんですから）。

私たちは国の有名人のうわさ話に花を咲《さ》かせて、それはそれは楽しいひとときをすごしていました。ジャックとジルは丘《おか》の上で本当はいったいなにをしていたのでしょう？　ハンプティ・ダンプティの未亡人《みぼうじん》は夫《おっと》の死にからんでいないのでしょうか？

ジョージー・ポージーは新しい恋人《こいびと》とは、たいへんな思いをして別《わか》れた前の恋人よりも長つづきするでしょうか？　そんな感じの、いつもの話題です。

と、靴の家のおばあさんが出しぬけに言いました。

「レッド女王のうわさ話は、もうみんな聞いたのかい？」

かわいそうにおばあさんはここ何年か耳が遠くて、頭もボケてきているのです（私だって、靴の中で百五十人もの孫《まご》と暮《く》らしていたら、たぶんそうなると思います）。今私の目の前にいるのを忘《わす》れてしまったのは、どこからどう見てもたしかでした。ふつうの君主ならばそんなことを言われればおこるでしょうが、私が靴の家のおばあさんをそばにおいておくのは、まさしくこれが理由でした。**社会というものを公平に考えたい**のであれば、なんの野心もない、ぼんやりしたおばあさんと仲良《なかよ》くしておくのをオススメします。

「あら、聞いたことないわね」私は、顔をひきつらせながら笑《わら》いました。**「教えてちょうだい」**

ほかのみんなは顔をしかめ、話をやめるよう靴の家のおばあさんに合図しましたが、おばあさんは、みんな早く聞きたいのだとかんちがいしました。

「私たちのお裁縫《さいほう》グループのうわさじゃあ、レッド女王はバカでかい両生類《りょうせいるい》とくっつこうとしてるらしいよ！」靴の家のおばあさんは、目をキラキラさせました。「種族《しゅぞく》をこえた大惨事《だいさんじ》だね！」

私の顔から血の気がひき、胸《むね》がつぶれるほどきつく締《し》めつけられました（コルセットをしていたせいじゃありません）。ショックでした。ひどい嘘《うそ》だったからではありません。事実だからショックだったのです。そんなふうに考えたことなんて、一度もありませんでした！　まったく民衆《みんしゅう》というものは、ものごとを最悪《さいあく》なほうに考えることにかけては天才的《てんさいてき》です。

「チャーリーのことを言ってるの？」私は言いかえしました。「だけどあの人はただのカエルじゃないわ……中身は王子さまじゃないの！」

みんなはあわれみの目を私に向けました。末っ子ブタがなぐさめるように、私の肩《かた》をそっとたたいてくれました。

「愛《あい》っていうのは、愛する本人にしかわからないものさ」

「ちがうわよ、文字どおりに王子さまだって言ってんだってば！」私はさけびました。「まだ若《わか》いころ、魔女《まじょ》にカエルの姿《すがた》にされちゃっただけよ！　中身が王家の人じゃなかったら、私が興味《きょうみ》持ったりするわけないじゃない！」

「なるほど、たしかにだいじなのは中身だね」グラニーがうなずきました。

それにしても、なんてひどい話でしょう！　老人《ろうじん》たちがティーポット・カバーを縫《ぬ》いながらそんな話をしているくらいですから、きっと王国じゅうの人びとがその話でもちきりのはずです！　私とチャーリーの関係《かんけい》が、不自然《ふしぜん》だとか呪《のろ》われてるとか言われはじめるのは時間の問題で、そうなったら私は化けもののレッテルを貼《は》られ、女王にふさわしくないとされてしまうでしょう！　なにか思いきった対策《たいさく》をしなくてはいけません。しかも、すぐにでも！

次の日、私は全国民《ぜんこくみん》をお城に呼《よ》びよせました。そしてバルコニーに立つと、下に集まったみんなにこう言ったのです。

「親愛《しんあい》なるずきんの民よ！　私の魅力《みりょく》に取りつかれたみなさんのことですから、きっともう、私とカエル男がつきあっているといううわさを耳にしているでしょう。私は今、伝《つた》えなくてはいけないと思っています。そのうわさは……真実なのだと！」

群衆《ぐんしゅう》のあいだに、どよめきが起こりました。国民《こくみん》に語りかけるとき、私はついついドラマチックに演出《えんしゅつ》してしまうのですが、みんなを楽しませるのはとてもだいじなことです。あなたが刺激的《しげきてき》であればあるほど、呼びだしたときにたくさんの人がやって来てくれるからです。

「最近《さいきん》耳にした話によると、私たちのおつきあいが種族をこえた大惨事と呼ばれているということです！ まったくひどい話で、私はすっかり不安《ふあん》になってしまい、昨日《きのう》の睡眠《すいみん》時間はいつもより二十分も減《へ》ってしまったのです。いいですか、このカエル男が両生類なのは外見だけなのです。中身は、ずっと行方不明《ゆくえふめい》になっていたチャーミング王子で、何年も前に呪いをかけられカエルの姿にされてしまっただけなのです。そう、あんな姿ではありますが、私はあの人を愛する道を選《えら》びました。あなたがたを愛するのと同じように」

（私がなにをしたかわかりますか？ 国民が抱《いだ》いた不審感《ふしんかん》を、同情《どうじょう》に置《お》きかえてしまったのです。さすが私、すごい！）

「人びとは私を傷つけようとしておかしなうわさを流したのでしょうが、信《しん》じてしまった方々のことを、私はもう許《ゆる》しました。外見にとらわれず人を見通すことができるのは、完璧《かんぺき》な判断力《はんだんりょく》を持った人だけです。ですから、いくら私にはあの人が王子の姿に見えるからといって、みなさんにまでそう見えるなんて、私はこれっぽっちも思いません」

（できれば、人に罪悪感《ざいあくかん》をうえつけて、あなたを愛させましょう！　おもしろいだけでなく、これはとても効果的《こうかてき》です。）

「ですが、私をいちばん悩《なや》ませたのは、私たちのことを種族をこえた大惨事とされてしまった件《けん》ではありません。この関係が自然《しぜん》に反するとして、すぐさま拒絶《きょぜつ》されたことなのです。私たちはまだ、ドラゴン時代にでも暮らしているのでしょうか？　年齢《ねんれい》も、肌《はだ》の色も、性別《せいべつ》も、そして種族などとも関係なく愛は愛なのだ、ということがちゃんとわかるくらいに人間は洗練《せんれん》されているはずだと、今まで希望《きぼう》を抱いてきました。ですから私はみなさんの女王として、ここに宣言《せんげん》したいのです。この国の人びとは自分の思うまま、だれのことでも愛する権利《けんり》があるのだと！」

私が言い終わると、熱狂的《ねっきょうてき》な拍手《はくしゅ》のうずがわき起こりました。気づけば、自分でも拍手をしていました。私を玉座からおろすために仕組まれたスキャンダルをひっくり返し、私への尊敬《そんけい》と愛情《あいじょう》に変《か》えてしまったのです。さあ、シンデレラにこんなことができるかしら！

前列にいた農夫《のうふ》が手をあげました。

「どうぞ、立派《りっぱ》な農夫さん。ご質問《しつもん》はなにかしら?」

「今のは、俺《おれ》がこの牛と結婚《けっこん》してもいいってことかい?」

まさか、そんなことを聞かれるとは思ってもいませんでした。

「それは場合によります」私は答えました。「あなたが愛するように、牛のほうもあなたを愛しているのですか? 離《はな》ればなれになっていると、おたがいに相手がいなくてさびしく思うのですか? その牛があなたの幸せの化身《けしん》だと言えるのですか? 見つめあうと、自分の半身をついに見つけたような気持ちになりますか?」

農夫は、首を横にふりました。「いんや、日がな一日ずっと草を食ってるよ」

「話くらいはできるのかしら?」

「いんや、ただの牛だからね」

私は、いらだちを顔に出してしまいました。「じゃあダメよ! 牛と結婚してはいけません。そんなことを聞くなんて、頭が悪いんじゃないの?」

「陛下《へいか》、よろしいでしょうか」つづいて女の人が手をあげました。「それでは、牛を愛するのとカエル男を愛するのと、どこがちがうのでしょう?」

「まじめに言ってるの? くわしく言わなきゃわからない?」

泥《どろ》まみれの顔で目を丸くした群衆を見まわし、私は説明しなくちゃいけないと思いました。

「人と話をして自分で考えることができる動物と、一日じゅう草を食べてる動物とでは、大きなちがいがあります。会話をしたり、いっしょに趣味《しゅみ》を楽しんだりできない相手と結婚してはいけません」

「じゃあ、俺が一日じゅう草を食ってるのが好《す》きだったらどうなるんだい？」さっきの農夫がまた聞きました。「同じような好《この》みがあれば、結婚していいのかい？」

生まれて初《はじ》めて——何度目かの「生まれて初めて」ですが——私はティアラを取ってだれかに投げつけてやりたくなりました。ですが女王ですから、そんなことはしません。

「たがいに幸せを伝えあい、いっしょになりたいと願《ねが》うのであれば、いいでしょう！　でも、ちがうならダメです！　これ以上《いじょう》ゆるくするわけにはいきません」

「それでいいよ」農夫が答えると、群衆もいっしょにうなずきました。

「種族をこえた恋人を持つことを、人にすすめますか？」さっきの女の人が言いました。「たとえば結婚してもいい人間が見つからないときには、ほかの種族を候補《こうほ》にすることも考えるべきでしょうか?」

「だれかとだれかを比《くら》べてどっちがいいか、という話をする気はありません」私は説明しました。「私はただ、みんな愛が訪《おとず》れたときには心を開いているべきだと言っているのです。見つけるまでは、自分がなにをさがしているのか決してわかりません。何年も何年も、生涯《しょうがい》をともにする理想の恋人をさがしつづけた、この私が言うのです。あの人は私をのぞいて、もっとも完璧に近い存在《そんざい》でした。だから私は、おたがいに運命の相手なのだと確信《かくしん》したのです。私は幸運にも、手おくれになってしまう前に、自分のあやまちに気づくことができたのでした。追《お》い求《もと》めつづけてきただれかとはまったく逆の相手に、本当の幸せを見いだしたのです。もちろん欠点《けってん》だってありますけど、私にとっては完璧な人なのです」

「ジャックのことかい?」農夫が言いました。「追い求めつづけてきた相手ってのは、ジャックかい?」

「もちろんジャックよ!」別《べつ》の女の人が言いました。「女王がジャックにぞっこんだったのは、だれだって知ってるもの!」

「ちょっと待ちなさいよ!」私はさけびました。「みんな知ってるの?」

群衆がいっせいにうなずきました。

「ジャックは女王さまより逃亡《とうぼう》生活を選んだんでしょう？」子供《こども》が言いました。「学校の子たちは、みんなそう言ってるよ」

とつぜん顔がかっと熱《あつ》くなり、宝石《ほうせき》が岩のように重く感じられました。

「さてと、このくらいにしておきましょう。さあ、国の問題を考えるためひとりになってきます。みなさんは、よい午後を！」

こうして私は、茶番劇《ちゃばんげき》を終わらせたわけです！　たくみに問題の根っこへとたどりつき、ただの雑草《ざっそう》を美しい花に変えてしまったのです！　そうしながら歴史《れきし》を作ったのは、言うまでもありません。それも、午後のお茶の時間にもなっていないというのに！　いずれ私のあとを継《つ》ぐ君主には、心から同情します。私のようにみごとに国を治めることなど、できるわけがないのですから！

第７章

憎《にく》しみと悪事を避《さ》ける

政《せい》治《じ》の世界には白黒はっきりしたものなどなにもありませんが、私《わたし》たちが住むこの世界では、やたらと人びとをヒーローと悪人とにわけたがります。白でも黒でもない、グレーにわけられた君主や指導者《しどうしゃ》は、ほとんど人の記憶《きおく》になんて残《のこ》りません。むしろ私は歴史《れきし》をふり返っても、そんな地味な君主なんてひとりも思いだせません。きっと先生が、教えずにすませたにちがいありません。

悲しい話ではありますが、人をおどろかせたいのであれば、最高《さいこう》になるか、それとも最悪《さいあく》になるかしかありません。英雄《えいゆう》の町まではすべりやすいのぼり坂がつづいていて、近道はどれも悪者の村へとつながっているもの。だから、評判《ひょうばん》を高めようと焦《あせ》ってはいけないのです。いいですか、どんな君主がたどる道も、まったいらではありません。だから、国民《こくみん》に嫌《きら》われる時期が訪《おとず》れたとしても、パニックを起こしてはいけないのです。じっとたえつづけていれば、こ

R
The Evil Queen
The Giant
The Snow Queen
The Wicked Stepmother
Ezmia The Enchantress
The Sea Witch

の時期はやがて伝説《でんせつ》に変《か》わります。いくらまた尊敬《そんけい》を勝ちとろうとあれこれしたところで、そんなもの国民はいつだってお見通しなのです（ただし私の国の民《たみ》は別《べつ》です。そんなのちっともわからないのですから。**私はなんてツイてるのでしょう！**）。

私に言わせれば、悪人のレッテルを貼《は》られてしまうのは、スキャンダルのあつかいをまちがえてしまった結果《けっか》でしかありません（前の章で、どうすればいいかを私に教わったあなたはラッキーです）。私の国ではだれも信《しん》じていませんが、私たちは本当に、他人の失敗《しっぱい》から学ぶことができるのです！　ですから人の破滅《はめつ》を見て逃《に》げだすのではなく、ここはひとつ、その人の気持ちになって考えてみるとしましょう（たとえそれが、本当のダメ君主であったとしてもです）。

過去《かこ》にあわれな目にあった人びとが困難《こんなん》をどう乗りこえようとしたかをよく観察《かんさつ》すれば、将来《しょうらい》デコボコ道にさしかかったときにどう前向きに考えればいいかをきっと学べるはずです。それに、失敗した人を見るのは楽しいじゃありませんか！

悪の女王

白雪姫《しらゆきひめ》の継母《ままはは》は、豪華《ごうか》な宮殿《きゅうでん》でだらだらすごしながら、毎日鏡《かがみ》を見つめていたことで有名です。私もまったく同じことをしているというのに、なぜ私はこんなにも愛《あい》されて、悪の女王は嫌われるのでしょうか？　それは、**なぜ自分がそんなことをするのか**、私が国民にちゃんと知らせているからです（第2章を見てください）。

悪の女王は国民にどう思われようがかまいませんでした。だから国民のかんにん袋《ぶくろ》の緒《お》が切れてしまい、それっきり信頼《しんらい》を取りもどすことができなかったのです。私の考えでは、悪の女王を破滅へとみちびいたのは結局《けっきょく》、**コミュニケーション不足《ぶそく》と、ものごとをじっくり考える能力《のうりょく》のなさ**です。

私は、こうしなくてはいけなかったと思います。

❶ 最初《さいしょ》から過去を正直に話すべきでした。真実が明るみに出たときには（恋人《こいびと》が鏡に閉《と》じこめられてどうしたこうしたとか……。助けだすことができず、恋人に忘《わす》れられてしまったとか……。心臓《しんぞう》を石にされてしまったとか……。そうい

うお涙《なみだ》ちょうだいの話です）、もう手おくれでした！　人びとが抱《いだ》いていた悪の女王への気持ちを変えることなんて、もうできやしなかったのです！　もし人びとが真実を知らされていたなら、きっと悪の女王も今ごろはゴミの底《そこ》で眠《ねむ》ったりせず（長い話になるので、くわしく知りたい人はお友だちに聞いてくださいね）、のんびりバカンスでも楽しんでいたはずでしょう。

２

暴力《ぼうりょく》をオススメはしませんが、白雪姫を殺《ころ》してさえいれば、悪の女王はもっと楽ができたはずです。たとえば、ふたりは階段《かいだん》も窓《まど》も数えきれないほどある、バカでかい宮殿に住んでいました。もし白雪姫が偶然の事故で階段から転がり落ちたり、窓から落ちてしまったりしたとしても、だれもそれが犯罪《はんざい》だなんてうたがったりはしません！　それに白雪姫といえば、透《す》けて見えそうなほどの肌《はだ》の白さです。たとえ悪の女王が吹雪《ふぶき》の日に白雪姫を外に放りだしてカギをかけてしまったとしても、次の春が訪れるまでだれにも見つけられっこなかったでしょう。

❸ 白雪姫殺害未遂容疑《さつがいみすいようぎ》で責《せ》められたとき、悪の女王には最高の自己弁護《じこべんご》をするチャンスがありました。たとえば、こんな感じです。「ちょっと待ちなさい。つまりあなたがたは、こう言いたいのかしら？　義理《ぎり》の娘《むすめ》が家出をして、変《へん》な小男七人と何か月か同棲《どうせい》し、それが今は、自分を毒《どく》りんごで殺そうとしたと言って私を訴《うった》えてると？　あの子と私じゃあ、**私のほう**がどうかしてるとおっしゃりたいの？」

悪の女王からは、三つのことが学べます。いつも正直であれば、だれかに誤解《ごかい》されることはありません。汚《よご》れ仕事をするときには、絶対《ぜったい》にだれにも見つからないように。そして、完璧《かんぺき》な自己弁護が用意できないのであれば、罪《つみ》をおかしてはいけません！

悪い継母

今になって思えば、シンデレラの継母の前では、白雪姫の継母なんて、**マザー・オブ・ザ・イヤー**でも受賞《じゅしょう》できる立派《りっぱ》な母親にすら見えます。ですが、どうして人びとはあんなに嫌うのでしょうか？　だって多くの場合、義理の親子というものは、なかなかうまくいかないのがふつうではありませんか。もし私がシンデレラの継母だったなら、国じゅうの非難《ひなん》をあびたとき、こんなふうに自己弁護するでしょう。

❶「はい、シンデレラにいろいろ家事をさせましたよ。**親なら**みんなそうするようにね」

説明《せつめい》しておきますが、あなたの子供《こども》がシンデレラのようにごく平凡《へいぼん》な子であれば、私は家事をさせるのに賛成《さんせい》です。ただ、子供が高い能力を持っている場合には、そうはいかなくなるのです。そう、たとえばこの私のように。

❷「シンデレラを舞踏会《ぶとうかい》には行かせたくありませんでした。だって、**ネズミに話しかける子**なんですよ？　あなたならそんな頭がどうかしてる子を、家から出しますか？」

❸「実の母親より私のほうがいいに決まっています。あの子の母親は、『灰《はい》かぶり

姫《ひめ》』なんていう名前をつけたんですよ？」

❹「もちろん、娘たちを王子と結婚《けっこん》させようとあれこれたくらみましたとも。私の娘たちをごらんになったことがありますか？　そりゃあひどいものなんです。残りの人生、あの子たちといっしょに暮《く》らしたいなんて思いますか？」

❺「シンデレラが王妃《おうひ》になればいいと思ったことなんて、これっぽっちもありませんとも。だって、舞踏会にガラスの靴《くつ》で行くような子ですよ？　そんな危《あぶ》ないことをする人間が、国の指導者としてふさわしいと思いますか？」

シンデレラの継母がちゃんと自己弁護の材料《ざいりょう》を持っていたのは、はっきりしています。ですが継母はなにも言わず国を追われ、そのせいでひどい罪人《ざいにん》のように見えてしまったのです。そこから私たちは、ひとつ学ぶことができます。それは、**なにも言わず黙《だま》っているのがいつも正しいとはかぎらない**、ということです。

海の魔女《まじょ》

神が作りたもうたすべての生きものから、人は学ぶことができます。フナムシにおおわれて腐《くさ》ったにおいをただよわせる甲殻類《こうかくるい》だって、私たちになにかを教えてくれるのです。海の魔女は、ちょっと変わった境遇《きょうぐう》にありました。一度も罪をおかしたことなどないというのに、悪者だと思われていたのです。海の魔女は、だれかに無理《むり》やり取り引きをさせたことはありません。人魚姫《にんぎょひめ》も自分から取り引きをするため、海の魔女のところに行ったのです。海の魔女がものすごい悪人のように言われているのは、おそろしい方法《ほうほう》で取り引きするからという理由なのです。

例《れい》❶ 両脚《りょうあし》をあたえる代わりに、海の魔女は人魚姫の舌《した》を切りおとしてしまいました。この女、いったいなんなの？　舌なんて、どこにどう使いみちがあるの？　**きれいな貝がらくらいもらえればじゅうぶんじゃない！**

例❷ 人魚姫がまた人魚にもどると決めたとき、海の魔女は魔法《まほう》の短剣《たんけん》と引きかえに、人魚姫のお姉さんたちの髪《かみ》を差《さ》しだせと言いました（私は本当に、ひとりっ子でよかったと思いました！）。そして、魔法を解《と》くには愛する人の心臓をその短剣で刺《さ》せばいいと教えるのです。まったく……なんてひどい話！　本当に、刺さなくちゃ解けなかったんでしょうか？

私も悲しいことに、海の魔女と会わなくてはいけませんでした。それにしてもあの魔女、いいにおいのアロマキャンドルでも取り引きのお礼にもらえばいいのに！　さて、私のときには……

例❸　海の魔女の家は、バラバラ死体のパーツで飾《かざ》りつけられていたのです！　クジラのあばら骨《ぼね》を階段に使うだなんて！　きれいな花柄《はながら》のクッションや飾り用のクッションをおいたら、死んでしまうとでもいうのでしょうか？　どんなものを着て、どんなものを飾っているか……人はそういうところから、あなたがどんな人間かを判断《はんだん》するものです。もしおぞましいものが趣味《しゅみ》ならば、そういうのは秘密《ひみつ》の部屋にしまっておいたほうがいいでしょう。

海の魔女は、おぞましく、面倒《めんどう》くさい自分を演《えん》じるのが好《す》きだったのです。グロテスクで気むずかしい自分でいるのを楽しんでいたのですが、そんなことをする必要《ひつよう》、まったくどこにもありません。もし自分が相手より優位《ゆうい》になるようなことがあっても、ひっぱたいたりしてはいけません。いずれあなたが落ち目になったら、逆《ぎゃく》にひっぱたかれてしまうのですから。

雪の女王

雪の女王は最強《さいきょう》の力を持つ氷の女王です。人のライフスタイルがどんなに寒くても私はちっとも気にしませんが、あの女王ほど冷酷《れいこく》であっていい理由なんて、どこにもありはしません。

かつて雪の女王は、あらゆる国でもっともおそれられた天気の魔女でした。ずっと北の大地を支配《しはい》していたのですが、やがて白雪姫のおじいさんがそこを開拓《かいたく》して〈ノーザン王国〉を作ってしまったのです。それからというもの、雪の女王は目が覚《さ》めて不機嫌《ふきげん》な日には北の山々に猛吹雪《もうふぶき》を吹《ふ》かせ、来る日も来る日も孤独《こどく》に苦しみながらすごしたのです。そして、力をうしなってしまった悲しみに泣《な》きつづけたあげく涙がこおりつき、両目がとけてなくなってしまったのです！

なんて痛《いた》ましい話でしょう！　この話の教訓《きょうくん》は「**敗《やぶ》れても、尊厳《そんげん》をうしなうことなかれ**」です。暗い顔をしてやつれはてたおばあさん女王なんて、だれも尊敬したり、好きになったりなんてしてくれないのですから。

巨人《きょじん》

かんしゃくを起こせばだれでも小さく見えてしまうものですが、特《とく》に巨人はそうです。私には、あの巨人がおこった理由が理解《りかい》できます。ジャックが家に忍《しの》びこみ、お金を盗《ぬす》み、魔法の（すごくムカつく）ハープを救出《きゅうしゅつ》してしまったからです。おかげで巨人は、自分が見くびられたと思ったのです。

ですが、もし巨人が自分の十六分の一しか背《せ》たけのない少年を追いかけて豆の木をおりていったりせず、ひとつ深呼吸《しんこきゅう》をして十まで数えていたならば、今もまだ生きていられたはずです！ グラニーはよく、「おこりちらすより、公平になさい！」と言います。復讐《ふくしゅう》するときには、**ちゃんと考えぬいた復讐**をすることです。やりすぎてしまえば、自分自身だってもっとひどい痛手《いたで》を受けてしまうことになるのですから。

巨人は私たちに、自分をちゃんとうやまい、小さなことでくよくよするなと教えてくれました。そして、もし巨人になったら、すべてが小さく見えるものではないでしょうか……（この一件《けん》では、おもしろい発見もありました。それは、**巨人の死体がすばらしい肥料《ひりょう》になる**とわかったことです！）。

悪の魔女、エズミア

さあ、いよいよ永遠《えいえん》の悪役の登場です！ 「**わがまま**」ということばの意味を変えてしまったほどの悪党《あくとう》になった妖精《ようせい》です！ この女のせいで私をふくめ王家の人はみんな、はるか遠くまでつるとイバラに引きずられていくはめになったのです！ 弁護してやる気なんてさらさらないので、さっさと私の意見を言わせてもらいます。

エズミアにとって最大《さいだい》の問題は、自分が必要とするものをすべて自分が持っていたことです。力、美貌《びぼう》、知性《ちせい》、そして愛らしい友だちも。なのにあの女は、もっともっととほしがったのです！　本当にわがままな子供と同じで、アリのやかんみたいに小さくて浅《あさ》い女でした！　そのくせ欲望《よくぼう》は、まるで満《み》たされることのない底なし穴《あな》みたいに深いのです。人から追いだされたさびしさに強欲《ごうよく》がくわわると、それはそれは危険《きけん》です！　私のようにうまくそれを鎮《しず》めることができる人は、ほんのひとにぎりでしょう。

悪の魔女のエゴは、だれにも止められませんでした！　エズミアは目をくもらされ、自分でも思いがけない弱点をあれこれと持ってしまったのです。最後《さいご》には、十代の女の子からいくつか嫌味《いやみ》を言われ、そのせいで負けてしまいました。私はこの目でそれを見ていたのです！　棒《ぼう》や岩では、悪の魔女をたたきつぶすことはできませんでした。**ことば**が深々と傷《きず》をつけたのです。

雪の女王とは反対に、悪の魔女は自分の成功《せいこう》に酔《よ》って調子に乗ってしまったいい例です！　おかげで注意をおこたり、弱点をさらけ出してしまったのです。自分が失敗するわけがないなどとたかをくくっていると、最後には失敗することになるのです！

まったく、書いているのがなんて楽しい章だったんでしょう！ 有名人の失敗をこまごま見ていくのは、私にとって趣味のひとつなのです。もしこの本が出版《しゅっぱん》されるのがもうすこしだけ早ければ、歴史上もっとも嫌われた悪人たちも、ちがうかたちで人びとの記憶に残っていたことでしょう。

R

第8章

靴《くつ》の中の小石

さて、いっしょに第8章まで進んできたことですし、ここでちょっとした秘密《ひみつ》をみなさんに打ちあけましょう。私《わたし》は、孤児《こじ》だからといって、特別《とくべつ》あつかいしません。だって、孤児だからいい子ということにはならないでしょう？　あなたは、孤児に気持ちよくあいさつしてもらったことがありますか？　だれかひとりでも、特別な孤児の名前をあげられますか？

今書いたばかりの段落《だんらく》を読んで聞かせたら、チャーリーはがくぜんとした顔をしました。そして、もっとよく私のことを説明《せつめい》しておかないと、冷《つめ》たい人間だと思われてしまうと言うのです。

この〈赤ずきん王国〉の孤児は、両親をうしなったわけではありません――両親はみんな、元気にしています。孤《こ》児《じ》院《いん》にいるのはみんな生意気で、ずる賢《がしこ》く、そのうえよくばりで、両親がとても育てられなかった子供《こども》たちばかりで、

R

政府《せいふ》にとっても悩《なや》みの種《たね》になっているのです。

これはすべて私のせいだから、私は全責任《ぜんせきにん》を取っています。この孤児院を作ったとき、私の計画を書きとめてくれていた書記官《しょきかん》と私とのあいだに、ちょっとした行きちがいがありました。私はこの孤児院は「親をもたない子供たちのため」のものだと言ったのですが、あのバカな書記官は、それを「親がもたない子供たちのため」などと書いたのです。ちゃんと読みあげて確認《かくにん》すればよかったのですが、私はそのあとだいじな昼寝《ひるね》のスケジュールがあったので、しょうがありませんでした。私がそのまちがいに気がついたときにはもう、書記官が国じゅういたるところにその告知《こくち》を貼《は》ってしまっていたのです。そしてあれよあれよという間に、国のあちこちから手に負えない悪ガキを引きずった両親が押《お》しよせてきて、お城《しろ》の前においていってしまったのです。

それからというもの、私たちは悪ガキどものせいで頭痛《ずつう》に悩まされっぱなしです！夜中になると孤児院からぬけ出して、国のあちらこちらでいたずらをするのです。〈オオカミ少年記念公園《きねんこうえん》〉の噴水《ふんすい》には、せっけんを投げこみました。ボー・ピープの羊《ひつじ》の毛を染《そ》めてしまったときは、冬にしぼり染《ぞ》めのコートが流行しました。ニワトリ小屋にネコを入れてカギをかけたり、牛のひづめを地面にのりづけしたり、マフェットお嬢《じょう》ちゃんのポストにクモを詰《つ》めこんだりもしたんですから！　まだまだ、数えきれないほどあるのです！

悪ガキたちがどんなに憎《にく》らしくても、私はムカつく気持ちを顔に出したことはありません。君主たるもの、靴に小石が入っているなどと人に知られてはいけないのです。敵《てき》はそれを、大岩に変《か》えてしまうのですから！

そんなことにならないよう、私は毎年一回孤児たちとすごし、憎んでなんていないふりをするようにしています。そして「女王をしばれ！」だとか、「ティアラ・フリスビー」だとか、「ドレスの中にはなに着てる？」だとか、「女王は沈《しず》むか泳げるか」だとか、あとは私がいちばんお気に入りの「あの髪《かみ》はカツラ？」だとか、そんなゲームをして遊ぶのです。そのようすを見た国民《こくみん》は私を心の広い女王だと思いますし、孤児たちは私に好《す》かれていると思います。そして、だれも真相には気づきません。

私がそんな日々をたえることができているのも、悪ガキたちが大人になったら、タール羽根《はね》の刑《けい》［上半身を裸《はだか》にしてタールをぬり、羽根を貼りつけてさらし者にする刑］に処《しょ》してやろうと誓《ちか》っているからです。イライラするような人といっしょにいなくてはいけないときは、そんなようすを想像《そうぞう》すると、キレずにすむというわけです。

第9章

よその王族をもてなすには

私《わたし》の楽しみといえば、最高《さいこう》のパーティーです！　だからいつでも、パーティーを開く理由をさがしているのです。友だちや家族や親戚《しんせき》のだれかのお誕生日《たんじょうび》やお祝《いわ》いごとがあればいつでも、私はその人のためにドはでなパーティーを開くのです。たまに、本人が来てくれることだってあるんですから！

「今度パーティーを開くんだ！」と楽しみにするのは、困《こん》難《なん》を乗りこえる最高の方法《ほうほう》です。だれかにさらわれたり、死にそうなほどのピンチに見まわれたときには（そんなのはしょっちゅうですから、きっと私の趣味《しゅみ》だと思ってる人もいるでしょう）、頭の中で盛大《せいだい》なパーティーを計画して乗りこえたものです。友だち、音楽、ゲーム、お料理《りょうり》、飲みもの、そしてすてきな家具に囲《かこ》まれる自分を想像《そうぞう》するだけで、どれほど暗くくもった日々にもささやかな日ざしがさしこんでくるのですから。

悪の魔女《まじょ》にさらわれたときには、この方法が本当に役立ってくれました。あのとき私はほかの国王たちといっしょに、魔法《まほう》をかけられたつるで壁《かべ》にはりつけにされていました。死の恐怖《きょうふ》なんかより、私はもっとおぞましいものを味わっていました。悪の魔女が何度も何度もしつこく世界征服《せいふく》の話をベラベラとくり返しつづけるものですから、耳から血が出なかったのが不思議《ふしぎ》なくらいです！

とらわれた王族たちの暗い顔を見まわしていると、とつぜん頭の中に小さな声が聞こえました。

「これがすんだら、『悪の魔女を倒《たお》して生《い》き残《のこ》りましたパーティー』を開くなんて、すてきじゃないかしら？」

その瞬間《しゅんかん》にすっかり恐怖がふき飛《と》び、パーティーの計画がぐるぐるフルスピードで頭の中をまわりだしたのです。大興奮《だいこうふん》のあまり、自分がさらわれたのも忘《わす》れてしまうほどでした！

さあ、どんなパーティーにしようかしら？

とらわれているせいでおなかがペコペコだった私は、ディナー・パーティーを想像して胸《むね》をときめかせました。

R

じゃあ、会場はどこにしようかしら？

お城《しろ》をリニューアルしたばかりだったので、当然《とうぜん》これを見せびらかさないわけにはいきません。

だれを招待《しょうたい》しようかしら？

まわりでつかまっている王族のみんなにも、パーティーが役立ってくれる気がしました。自分たちで計画してみんないっしょにひとときをすごすのは、きっといいことのはず。そうすればたぶん、次にみんなでとらわれの身になってしまっても、もっと楽しくすごせるはずですから。

悪の魔女がまた満足《まんぞく》げにひとりよがりでペラペラしゃべりつづけているうちに、私は計画を行動に移《うつ》しました。みんなに声をかけて招待することにしたのです。

「シーッ！　白雪姫《しらゆきひめ》！」私は小声で言いました。「白雪姫、こっちこっち！」

白雪姫はつかまってちょっと取りみだしていたので、気づいてくれるまですこしだけかかりました。

「レッド、どうしたの？」白雪姫が、小声で返事をします。

「あなたとチャンドラーを、私のお城へディナーに招待したいのよ！」私はそう言って、ぐっと親指を立ててみせました。

「ええ……楽しそうだけど……」白雪姫が言いました。私が思ったほど楽しそうではありませんでしたが、なにしろひどい目にあってる最中《さいちゅう》なのですから、無理《むり》もありません。ピンチをどう切りぬければいいか、私みたいにわかっている人ばかりじゃないのです。

「ねえ、眠《ねむ》れる美女！」私は呼《よ》びかけましたが、眠れる美女は遠すぎるか、それとも私を無視《むし》しているようでした。「聞こえてるんだったら、これが無事《ぶじ》に終わってから、あなたとチェイスを私のお城へディナーに招待したいのよ！」

「ちょっとレッド、なにしてるのよ！」ラプンツェルが小声で言いました。

「ここにいるみんなを招待して、私のお城でパーティーするのよ」

「悪の魔女に殺《ころ》されかけてるのよ！　パーティーなんてしてる場合じゃないでしょう！」ラプンツェルはキレそうです。

「その態度《たいど》じゃダメね」私は鼻で笑《わら》いました。「そんなに落ちこんでるなら、招待なんてできないわ！」

　きっとラプンツェルは、最初《さいしょ》に招待されなかったのでおこっていたのでしょう。次に私は、となりの壁にはりつけにされている、ゴルディロックスとジャックのほうを向きました。

「ねえねえゴルディロックス、あなたとジャックを――」

「ごめん、もう予定があるの」ゴルディロックスは、私が言い終わるのも待たずに言いました。まったくゴルディロックスらしい！ きっと逃亡《とうぼう》生活のほうが楽しそうだと思ったんでしょう。

シンデレラのことはあんまり好《す》きではないけれど、みんなを招待するからには、あの子に声をかけないのは失礼《しつれい》というものです。

「シンデレラ！」私は呼びかけて、シンデレラと目を合わせました。「こんな話をしてる場合じゃないかもだけど、お城でディナー・パーティーを開こうと思ってるの。もし忙《いそが》しくなければ、あなたとチャンスにもぜひ来てほしいのよ。でも、子供《こども》はダメよ。ホープはベビー・シッターにでもあずけてね。あ、でもあの子がさらわれちゃったのは、ひどい話だわ！ 本当に最悪《さいあく》な一週間になってしまったわね」

「はいはい……」シンデレラはため息をつきました。

結局《けっきょく》、みんながパニックになっていたのには、なんの意味もありませんでした。悪の魔女は倒されて私たちはみんな自由になり、もとの暮《く》らしにもどれたのですから。

悪の魔女の世界征服なんて、パーティーを計画するストレスに比《くら》べたらなんでもありません！　私も、いざ自分で計画してみるまでは、パーティーを開いて王族たちをもてなすのがどんなにプレッシャーのかかることか、まったくわからずにいたのです！　計画をたててすぐに、みんなを招待してしまったのを後悔《こうかい》しました。ですがもちろん私はちゃんとうまくやって、とても楽しいディナー・パーティーを考え、大成《だいせい》功《こう》させてしまったのでした！

さて、あなたがだれかをもてなすことになったときへのアドバイスです――そう、特《とく》に私を招待するときのための。

最初から感動させる

忘れてはいけないのは、あなたの友だちや家族とちがい、王族はすばらしいものになんてすっかりなれっこになっている、ということです。だから、感動させるなんてほとんど不可能《ふかのう》なのです！　そこで、私のパーティー計画術《じゅつ》を教えましょう。それは、自分が感動するようなパーティーをはじまりから終わりまで想像すること——そうしたら、**その二倍感動させよう**と作戦《さくせん》をたてるのです！　まずはその想像にプラスして、キラキラしたものをできるだけたくさん集めてみましょう。ただし、けいれんを起こさないていどにしておくこと。それでも**まだ**じゅうぶんとは言えませんが、そこでやめておきます。あんまりやりすぎると、かえって悪趣味《あくしゅみ》になってしまうからです。

あんな「世界の終わり」的《てき》な事件《じけん》を生きのびたばかりですから、みんなパーティーなんて忘れてしまうんじゃないかと、私は不安《ふあん》でした。そこで私はラッパ隊《たい》と吟遊詩《ぎんゆう》人を二十四人も集めてみんなの宮殿《きゅうでん》やお城をひとつひとつまわらせ、音楽の招待状《しょうたいじょう》を送ってそっと思いださせてあげたのでした。

みんなの記憶《きおく》に残る最高の夜にするためにみっちりと計画をたてるのには、二週間もかかってしまいました。ダイニング・ルームは、金色のテーブルクロスと黄金のキャンドルで飾《かざ》りつけられています。食事中にみんなの目を楽しませられるように、お気に入りの私の肖像画《しょうぞうが》を十二枚壁《まいかべ》に飾りました。そのうえ床《ゆか》のカーペットを新品にし、美術品《びじゅつひん》はすべてきれいに掃除《そうじ》し、ほかの部屋の椅子《いす》もすべて新しく張《は》りかえてしまいました。だれかがお城を見学したくなるかもしれないからです。

お城を最高の状態《じょうたい》で見せるだけではなく、国そのものもいつもよりずっと美しくなければいけません。私は国じゅうをまわりながら国民《こくみん》に自分の敷地《しきち》を掃除し、納屋《なや》の壁をぬり、みすぼらしい家族は家に閉《と》じこめておくように言いわたしました。そしてディナー・パーティーの日には最高のオシャレをして――ボンネットや蝶《ちょう》ネクタイをつけて――道ぞいにならぶよう国民に言ったのです。国民は言われたとおり、国に到《とう》着《ちゃく》して私の城へと進んでいく王族たちに、ほほえみながら手をふってくれたのでした。

私は最高のドレスとずきん、手袋《てぶくろ》、それから宝石《ほうせき》で着飾《きかざ》り、玄関《げんかん》ホールの大階段《おおかいだん》の踊《おど》り場《ば》に立って、到着したみんなをひとりひとり迎《むか》えました。ほかの国の王さまを出迎えるには、遊び心を持つことがとにかく重要《じゅうよう》です。堅苦《かたくる》しいディナーより最悪なものなんて、なにもありはしないのですから。

「シンデレラ、とてもすてきじゃない！　フェアリー・ゴッドマザーに手伝《てつだ》ってもらわないとオシャレもできないなんてあなたのことを言う人がいるけど、意味がわからないいわね」

「ああ、眠れる美女！　ぐっすり眠ってすっきりしたみたいな顔ね！　私までだれかに呪《のろ》いをかけてもらって、百年ずっと眠っていたくなっちゃうわ！」

「ラプンツェル、なんてすてきなヘア・スタイルなの！　毛先のほうはまだ馬車から出てきてるとこなのかしら？」

「あらまあ、白雪姫！　大丈夫《だいじょうぶ》？　まるで幽霊《ゆうれい》でも見たような顔色じゃない！」

白雪姫はしばらく変《へん》な目で私を見てから、深いため息をつきました。「ああ、冗談《じょうだん》を言ったのね……私がとても白いから……**笑えるじゃない**」

「旅は楽しかった？　私の国、どう思う？」私はみんなを見まわしました。

「ええ……**キュート**じゃない」シンデレラが言いました。「国民のみなさんは、いつも道にならんであなたのお客さんに手をふってくれるの？」

「あら、また手をふってたの？　まったく、困《こま》った人たちねえ。そんな必要《ひつよう》ないって言ってるのに！　みんな、自分たちの美しい国に来るお客さんを笑顔《えがお》で出迎えるのが、好きでたまらないのよ」

「笑顔で出迎えてるようには**見えなかったわよ**」眠れる美女が言いました。「むしろ、ちょっと不安だったわ……こわい夢《ゆめ》でも見てるみたいで。馬車におそいかかってくるんじゃないかって、おそろしくなっちゃったくらいよ」

みんな、不安そうな目をしてうなずきました。たぶん国民が、大げさにやりすぎてしまったんでしょう。

「まあ、あなたくらいずっと眠りつづけてたら、なにを見たってこわい夢を思いだすでしょうね」私は気まずく笑いました。「さあ、みんなおなかはすいてる？」

特別《とくべつ》あつかいをしてもらっている気持ちにさせる

王族というものは、特別あつかいになれているものです（そう遺伝子《いでんし》にきざまれているのです）。だから、あなたの家で王族をもてなすのならば、特別あつかいをしてもらっている気持ちにさせてあげるのが、あなたの使命《しめい》です。冠《かんむり》をかぶったお客が何人もいるとなると、これはたいへんな仕事です。でも心配しないでください。やたらとおだてたり、持ちあげたりしろということではありません（私があなたの家におじゃましたときは、そうしてもいいですけど）。私たちがすべきは、ひとりひとりのお客がなにを求《もと》めているか、ちゃんと考えましたとしめすため、ちょっとしたものを用意することなのです。

たとえば、ダイニング・ルームにお客を案内《あんない》しながら、私はシンデレラに出口の場所をぜんぶ教えてあげました。

「どうしてそんなことを私に?」シンデレラは首をかしげました。「出てけって言いたいの?」

「そんなわけないでしょ!」私は首を横にふりました。「夜中の十二時に、ダッシュで帰らなくちゃいけなくなるかもしれないじゃない? みんな、あなたをまっさきに帰さなくちゃって、ちゃんとわかってるわ」

「それはご親切に」シンデレラが答えました。「でも、私だけ先に帰ろうなんて思ってないのよ。ホープ王女はフェアリー・ゴッドマザーが見てくれてるから、今夜は門《もん》限《げん》がないんだもの! ディナーが終わるまで、喜《よろこ》んであなたのとなりにかけさせていただくわ」

「まあ、私たちといっしょのテーブルにつくつもりなの?」私はおどろきました。「あなたの生《お》い立《た》ちを考えたらそっちのほうが楽しいだろうと思って、下の階にある召使《めしつか》いたちのテーブルに席《せき》を用意させておいたのに」

ぼうぜんとしたシンデレラの顔を見れば、私のやさしさに圧倒《あっとう》されているのがひと目でわかりました。そして、今から私たちと同じダイニング・ルームに席を用意するのなんて、なんでもないのだとちゃんと説明《せつめい》してあげました。きっとあの夜、シンデレラの中で私の株《かぶ》は急上昇《きゅうじょうしょう》したはず。今はもう、**友だち同士《どうし》**と言ってもいいでしょう！　小さな気づかいには、なんてすごい力があるのでしょうか。

食前酒が出る前。まだチャーリーが男の人たちを笑わせ、グラニーが女の人たちに私の肖像画を見せているすきに、私は白雪姫を横に連《つ》れだしました。

「いちおうお知らせしておくけど、今夜のお食事はぜんぶ一〇〇パーセント、りんごぬきよ」そう言って、愛《あい》らしくウインクしてみせました。「食べられないものがまざってないか、心配かけたくなかったのよね」

「まあ、ありがとう」白雪姫が答えました。「でも私、**りんごアレルギー**とかじゃないのよ。お義母《かあ》さまが**毒《どく》りんご**で私を殺そうとしたけれど、毒りんごを食べたらだれだってただじゃすまないもの。むしろ、りんごは好きなくらいなの」

「ああ、まさしくそういうことだったのよ」私は答えました。「シェフには、『今夜は絶対《ぜったい》に毒りんごを使わないように』って言ったんだから！　もし毒りんごがあったら孤児院《こじいん》に寄付《きふ》するつもりよ」

白雪姫は、私の冗談では絶対に笑いません。たぶんかわいそうなあの子には、私のジョークがむずかしすぎるのです。シェフに言いつけて、「毒は入っていません」と小さなラベルを貼《は》ったりんごまで出させたんですから。それでも白雪姫は、くすりともしなかったのです。

最初のお料理が半分ほど片《かた》づいたころ、眠れる美女がそっと私の肩《かた》をたたきました。

「ねえレッド、ずっと不思議だったんだけど、どうして私の席のとなりに枕《まくら》が用意してあるの？」

「あなたが眠くなったときのために、用意させておいたのよ」私は説明してあげました。「心配しなくても、眠ったからって失礼だなんてこれっぽっちも思わないわ。眠りの呪いのせいで、睡眠《すいみん》サイクルがどれほどくるってしまったか、私なんかには想像もつかないもの」

「ありがとう。でも枕はいらないわ」眠れる美女は、ちょっとムッとした声で言いました。「王国がもとにもどって悪の魔女は永遠《えいえん》に消えさったんですもの。いつもちゃんとぐっすり眠れてるわ」

かわいそうに、あの子は現実《げんじつ》から目をそらしていたのだと思います。しばらくして、私が長々と乾杯《かんぱい》のあいさつをしているあいだに、眠れる美女がちょっとだけうとうとしているのに気づいたのですから（ついでに言えば、グラニーとチャーリーもいねむりしていました。きっとスープになにか入っていたにちがいありません）。

会話

パーティーのような人の集まりでは、お客同士の相性《あいしょう》が決め手になります。なので、みんなが楽しめるような話題を前もってリストにしておくのがいいでしょう。私なら、みんなの興味《きょうみ》に火をつけるような、なにか知的《ちてき》な話がしたいところです。ディナーでの会話というものは、みんなが参加《さんか》して楽しむことができないと、失敗《しっぱい》してしまうもの。なので、こんなリストを考えてみました。みなさんもよかったら、そのまま使ってください。

❶ レッド女王からいちばん強く受けた影響《えいきょう》は？

2 〈赤ずきん王国〉のどんなところを見て、自分の国もこんなだったらいいのにと思いますか？

3 レッド女王のドレスの中で、いちばんのお気に入りは？

4 あなたのチャーミング王子が、だれよりも魅力的《チャーミング》なのはなぜ？

5 最近《さいきん》、レッド女王のどんなところがすごいと思いましたか？

6 王子さまに助けられていなかったら、今の私はきっと（　　　　　）になっていたはず。

7 偉大《いだい》な指導者《しどうしゃ》（死んでいる人もあり）のだれに、レッド女王はいちばん近いと思いますか？

8 人魚は魚でしょうか？　それともほ乳類《にゅうるい》でしょうか？

9 もしラプンツェルみたいな髪《かみ》があったら、どんなバカなことがしてみたいですか？

10 とらわれの乙女《おとめ》が助けを求めて悲鳴をあげました。この悲鳴には、ほかのねらいはないでしょうか？

11 レッド女王のどんなところが自分にもあったらいいと思うか、ひとつ教えてください。

⑫ あなたにとって理想の「めでたしめでたし」を教えてください。

最悪の事態《じたい》にそなえる

だいじなときにかぎって、ぜんぜんうまくいかなかったりします。そういうものなのです。ですから、王族を呼んでディナー・パーティーをするなら、**どんなことがあってもいいように**準備《じゅんび》をしておかなくてはいけません。

計画をたてるときには、なにかまちがいが起きそうな部分はないか、じっくりと見直しをしましょう。私は、みんなが到着する前に、すべてが私の計画どおりに進むよう、しっかりと手をうっておきました。

◆〈のろのろ革命《かくめい》〉のあいだ、白雪姫は王妃《おうひ》ではありませんでしたが、私はちょっとでもみんなが気まずくなるのは絶対に避《さ》けたいと思っていました。だからグラニーが「北との戦争《せんそう》では……」と言いだすたびに（初対面《しょたいめん》の人と会うと、グラニーはいつもこの話を持ちだすのです）、私は次の料理を出して話をさえぎるよう、給仕《きゅうじ》に言いつけておきました。

◆クロウディアスが面倒《めんどう》を起こしそうになったらいつでも投げられるよう、みんなにないしょでポケットに骨《ほね》をぎっしり入れておきました。いちばん危《あぶ》なかったのは、あの子がテーブルの下でラプンツェルの髪にかみついているのを見つけたときです。ありがたいことに、ラプンツェルはかなり食いちぎられてしまったのにも気づきませんでした（クロウディアスはきっと消化するのがたいへんだったことでしょう！）。

◆廊下《ろうか》には、物や人に火がついてもすぐ消せるよう、ディナー・パーティーのあいだじゅう、水を入れたバケツを持った執事《しつじ》を立たせておきました。最初のお城が焼《や》けおちてしまったあと、私は火事を起こしやすいのだと学んだからです。

◆ダイニング・ルームのすみにならべてある鎧《よろい》の中には、本当に兵士《へいし》が入っていました。デザートの前に戦争や革命が起きてはいけないと思ったからです。

◆だれかがいきなりほかのお客を連れてきてしまったときにそなえ、シェフには食事をよぶんに作らせておきました。その予感はあたりました。メインのお料理がテーブルにならべられたとたん、ネズミが一匹《ぴき》、チャーミング城《じょう》からシンデレラのポケットに入ってきてしまったのがわかったからです。ふつうの人なら、ディナーのテーブルにネズミだなんて、ふさわしくないと思うかもしれません。ですが、**シンデレラはちがいます！**　給仕が言われたとおりに料理を運んでくると、ネズミはラム・チョップをまるまるひとつたいらげてしまったのです。私に気づかいをしない人はいるでしょうけど、私から気づかいを取りあげることはだれにもできないのです。

◆自然災害《しぜんさいがい》が起きたときのため、非常口《ひじょうぐち》も確保《かくほ》しておきました。ですがさいわい、地震《じしん》や、洪水《こうずい》や、火事や、そして飢饉《ききん》なんかに、私の大切な一日を台なしにされることはなかったのです！

そして、私のなみはずれた計画力のおかげで、ディナー・パーティーは大成功のうちに幕《まく》を閉じたのでした！　小さな問題すら、起こらなかったのです！　王さまも王妃さまも来たときよりずっと幸せそうな顔で、まただれかのお城でディナー・パーティーを開きましょうと約束《やくそく》して帰っていったのです。

それっきりまだだれからも連絡《れんらく》はありませんが、私はがっかりなんてしません。私のパーティーがあまりにみごとだったものだから、みんな次のパーティーを自分で開くのがこわいのです！　もし女王としてうまくいかなくても、私が転職《てんしょく》に困ることはないでしょう。もしかしたら、デビュー作は『赤ずきん女王のイベント計画術』という本にしたほうがよかったかもしれません。

R

第10章
オススメの本

おそらくみなさんの脳《のう》みそは、この本を読むまでこんなにも強烈《きょうれつ》な刺激《しげき》を味わうことなんてなかったはず。ですから、次に読む一冊《さつ》として強くオススメしたい本をリストにしておくのが、親切というものでしょう。この本を読み終えたあとも、さらによく知ろうという気持ちを持ちつづけるのはとてもだいじなことです。心配しなくても、私《わたし》があなたのためにそれぞれの本の内容《ないよう》をまとめ、なにを学びとるべきかを書いておきました。ですが読書とはものすごいエネルギーを使うものですから、ほどほどにしておくこと。さもないと、頭の筋肉《きんにく》を痛《いた》めてしまうことになります。

『赤ずきん 女王への道』 赤ずきん女王

いちいち本を閉《と》じて表紙をたしかめなくても大丈夫《だいじょうぶ》。今

R

あなたが持っている、この本です！ 自分の本をこのリストに加《くわ》えたのには、理由が三つあります。第一に、君主のための指南書としては、ほかのすべての本よりはるかにすぐれた一冊であること――ほとんどぜんぶ読んだ私が言うのだから、まちがいありません。第二に、一度目に読んだとき見おとしたことがあるかもしれないので、もう一度読めばものすごくあなたのためになるからです。そして第三に、自分は正しい方向に一歩を踏《ふ》みだしたのだと確認《かくにん》できれば、自信《じしん》がつくでしょう？

『君主論《くんしゅろん》』 ニコル・マカレナ

この本こそ、すべてのはじまりでした！ もし私の傑作《けっさく》に影響《えいきょう》を与《あた》えたものがなんなのか知りたければ、まちがいなくこの本を読むべきです！ 注意しておきますが、私の本ほど楽しくありませんし、読むのも大変《たいへん》です。正直に言えば、私も彼女《かのじょ》がいったいなにを書いているのかほとんどわからなかったくらいなのですから。とはいえ、私がこの本でみごとに進化させた意見の数々は、簡単《かんたん》に見つかることでしょう。注意すべきは、ニコルが「原理《プリンシプル》ということばを使っても、それは学校の校長先生《プリンシプル》の話をしているのではない」ということです。私も、なかなか気づきませんでした。

『ハムレット』　ウィリアム・フルーツシェイク

この本を選《えら》んだのは、ただのわがままです。というのは、私が大好《だいす》きな一冊だからです。ひとことで言うとしたら、とんでもない小説《しょうせつ》です！　**出てくるのは王家の人ばかりだというのに、ひとり残《のこ》らずひどい運命をたどるんですから！**　すごいと思いませんか？　そしてみんな自分のおろかさへの罰《ばつ》として、不条理《ふじょうり》で劇的《げきてき》な死を迎《むか》えるのです。このバカげた物語のあちこちに政治的《せいじてき》な知恵《ちえ》が数えきれないほどちりばめられており、読んでいると、ついついこれがコメディ小説なのを忘《わす》れてしまうのです。『ハムレット』は台本なので、グループで演劇《えんげき》などに使ってもいいでしょう。私は毎週木曜の午後に家臣《かしん》を集めて、私のために上演《じょうえん》させています。

『ユートピア』 トマス・モア

とにかく泣《な》ける一冊なので、ハンカチの用意をお忘れなく。この物語は、だれもが――そう、支配者《しはいしゃ》ですら――まったく平等にあつかわれる、とあるわびしい島が舞台《ぶたい》になっています。これを読めば君主を尊敬《そんけい》し、階級というものがどれほどだいじなものかが理解《りかい》できるようになるでしょう。この『ユートピア』には、平等もいきすぎるとひどく退屈《たいくつ》なものになる、ということが描《えが》かれているのです。

『マザー・グースの日記』 マザー・グース

人の失敗《しっぱい》から学べ、と話したのをおぼえているでしょうか? この本は、どんな経験《けいけん》よりも私にそれを強く教えてくれました。マザー・グースは私も大好きですが、歴史的《れきしてき》な支配者たちと関《かか》わりあったマザー・グースの日記からは、多くを学ぶことができるでしょう。バカでかいガチョウなんかに乗って飛《と》びまわるおばあさんの言うことなど、真に受けてはいけません。そんなの常識《じょうしき》だと思っていたのですが、どうやらそうでもない人もいるようなので、言っておきます。

終章

最後《さいご》にひとこと

悲しいことに、楽しいものにはかならず終わりがあるものですが、この本だって例外《れいがい》ではありません。こんなにたくさんすばらしい知識《ちしき》にふれたことなどみなさんは初《はじ》めてでしょうから、読み終わって悲しくなったり、落ちこんだりしても、それはおかしなことではありません。けれど絶望《ぜつぼう》の底《そこ》に沈《しず》んでしまう前に、私《わたし》の教えをとおしてともにすごしたひとときを、祝《いわ》おうではありませんか。

あなたは、勇気《ゆうき》と知恵《ちえ》にあふれた私の勇敢《ゆうかん》な物語から、多くのことを学びました。きっとそれが力となり、あなたに生きていく勇気をあたえてくれるでしょう。

私は、イメージがどれほどだいじなものか、どうやって人びとから尊敬《そんけい》され、愛《あい》されるようになればいいか、そしてどうやって尊敬され、愛されつづければいいのか、ということを教えました。

おせじには気をつけなさいと、私は警告《けいこく》しました。それは、おせじには裏切《うらぎ》りがひそんでいるかもしれないからです。

いっしょに働《はたら》く人はよく考えて選《えら》び、仕事はぴったりの人にまかせることです。君主と国民《こくみん》の理想的《りそうてき》な関係《かんけい》とは、あなたと親友の関係によく似《に》ています。敵《てき》の手で泥沼《どろぬま》に突《つ》きおとされたとしても、ひっそりと野に咲《さ》く花々を見つけ、バラに囲《かこ》まれてふたたび立ちあがることもできるでしょう。

人びとからほめたたえられたいのであれば、人の成功《せいこう》から学ぶのと同じくらい、人の失敗《しっぱい》からも学ぶべきだということも、私は説明《せつめい》しました。

そして、いらだちを胸《むね》の中にしまっておけば、それを盾《たて》として使えることも教えました。

だいじな人たちをどう招《まね》いて、どうもてなすかも、私が教えたとおりです。このとおりにすれば、ほかの国々との関係はすばらしいものになるでしょう。

そして、あなたが政治《せいじ》や君主とはいかなるものかをこれからも学びつづけられるよう、読むべき本もいろいろと教えました。

最後に、今まで人にされたアドバイスの中で、最高《さいこう》のものをあなたにも教えましょう。だれからのアドバイスか知ったら、きっとびっくりしますよ。これは、シンデレラに言われたことばなのです。「レッド、聞いて。みんなをひとり残《のこ》らず楽しませるのなんて不可能《ふかのう》なのよ。だから、それを目標《もくひょう》にしちゃダメ」

あのネズミの友だちのことばにうなずくのなんて、しゃくにさわります。私自身の権力《けんりょく》と政治力《せいじりょく》、成功と失敗、称賛《しょうさん》と批判《ひはん》、ぜいたくと責任感《せきにんかん》……そういうものをとおしてひとつ学んだものがあるとすれば、それはこれです。

「みんなをひとり残らず楽しませるのなんて不可能。だから、自分を絶対《ぜったい》に楽しませること！」

謝辞《しゃじ》

ページの残《のこ》りはわずかなのに、感謝《かんしゃ》を伝《つた》えたい人の、なんて多いこと！

まずは、この本を編集《へんしゅう》し、私《わたし》が勝手に作ったことばをぜんぶ直してくれた、チャーリーとグラニーに。大好《だいす》きなクロウディアスに――

ママはいつでもおまえが大好きだからね！

お友だちのアレックスとコナーに特別《とくべつ》な感謝を。

一度でいいから、危険《きけん》がまったくないところでふたりに会いたいと思っています。


この国に住む、すばらしい人たちに。あなたたちがいなければ、私は女王になることができませんでした――まさしく文字どおりに！

家臣《かしん》のみんなにも、深い感謝を。

三匹《びき》のこぶたの末《すえ》っ子《こ》、マフェットお嬢《じょう》ちゃん、メェメェ黒羊《ひつじ》さん、靴《くつ》の家のおばあさん、そして目の見えない三匹のネズミへ。

あなたたちが国の面倒《めんどう》を見てくれていたおかげで、
私は国の面倒をどう見ればいいかを書けました。
そして、国民にひとり一冊《さつ》この本を買うことを義務化《ぎむか》する法案《ほうあん》を
とおしてくれたことにも感謝を。おかげで売り上げがぐんと伸《の》びたのです！

大きな悪いオオカミにも、すこしは感謝をするべきでしょう。
昔あのオオカミが私を食べようとしなかったなら、
私にはなにも起こらなかったのですから。
凶悪《きょうあく》なオオカミでしたが、今はいい敷物《しきもの》として役に立ってくれています。

そしてもちろん、私自身にも感謝を。
歴史《れきし》を変《か》えてしまうような知性《ちせい》と美貌《びぼう》、忍耐力《にんたいりょく》、カリスマ性《せい》、勇気、
そしてティアラの持ち主なんて、ほとんどいはしません。
私最高《さいこう》！

訳者《やくしゃ》あとがき

さて、『赤ずきん 女王への道』は、いかがだったでしょうか？ 〈ランド・オブ・ストーリーズ〉の名物キャラクター、赤ずきんの知られざる一面を発見し、驚《おどろ》いた人も多いのではないでしょうか。どこかまわりとズレていて、〈ランド・オブ・ストーリーズ〉の中でもひときわ浮《う》いたキャラクターですが、実をいうと赤ずきんは、とてもまじめな女王だったのです。

最初《さいしょ》に、『赤ずきん』という物語について、すこしだけお話しさせてください。日本ではグリム童話《どうわ》が有名ですが、世界でいちばん古い『赤ずきん』は、一六九七年にフランスのシャルル・ペローという作家が書いたものだと言われています。さらには、スウェーデンの『黒い森の乙女《おとめ》』という古い民話が元になっているとも言われています。そして、アフリカ、イラン、中国などさまざまな国に同じような物語があり、どこのだれが最初に考えたお話なのか、実はわからないのです。

ちなみにペローの『赤ずきん』はなんと、赤ずきんがオオカミに食べられたところで物語が終わってしまい、助かりません。生きたままオオカミのおなかから出てくる結末《けつまつ》は、グリム兄弟がつけたしたものなのですが、このハッピー・エンドのおかげで、グリム兄弟の『赤ずきん』がいちばん有名になったのではないでしょうか。

ここですこしだけ、〈ランド・オブ・ストーリーズ〉の紹介《しょうかい》をしておきましょう。この物語は、主人公の双子《ふたご》、アレックスとコナーが誕生日《たんじょうび》におばあちゃんからもらった童話から偶然《ぐうぜん》入りこんでしまった物語の世界のお話。そこは、いろんな物語やおとぎ話の登場人物たちが「めでたしめでたし」のあとを生きている世界です。そんな登場人物たちと出会いながら、双子はたくさんの冒険《ぼうけん》をしていくことになるのです。

悪の女王、悪の魔女《まじょ》、そしてさまざまな物語の悪役たちを味方にして世界を手に入れようとする、謎《なぞ》の仮面《かめん》の男……。いろんな敵《てき》が登場し、双子の前に立ちはだかります。双子は、赤ずきん、白雪姫《しらゆきひめ》、シンデレラ、ラプンツェル、ゴルディロックスなど、有名な物語の登場人物たちといっしょに、魔法《まほう》の力で強敵《きょうてき》と戦っていくことになります。それに、カエル男のフロッギーやフェアリー・ゴッドマザーなど、このシリーズのオリジナル・キャラクターたちもとても魅力的《みりょくてき》です。

　また、シンデレラの継母《ままはは》やお姉さん、『ジャックと豆の木』に出てくる魔法のハープといったキャラクターも登場するので、童話やおとぎ話が好《す》きな人ならば、きっとだれでも楽しめる内容《ないよう》になっていると思います。まだ読んでいない人がいるならば、この本を読み終えてからでいいので、ぜひ手に取ってみることをオススメします。

　そして、一度読んでしまった人も、もう一度読み返してみてください。この本や、『マザー・グースの日記』を読んでからそうすると、赤ずきんやマザー・グースがまたひと味ちがって見えてくるはずですから。

　そんな多くの登場人物たちの中、冒険でみんながピンチにおちいったり、問題が起きたりするたびに、赤ずきんはほかのだれにも思いつかないようなアイデアをひらめき、双子と仲間を助けていきます。この物語には絶対《ぜったい》いなくてはいけない、とてもだいじな登場人物なのです。

　そんな赤ずきんが、この『赤ずきん 女王への道』で見せてくれるすてきな部分は、どんな本を読んでも、とにかく自分らしく楽しんでしまうところです。ウィリアム・フルーツシェイク（本当はウィリアム・シェイクスピアですが）の『ハムレット』にしても、赤ずきんは「ついついこれがコメディ小説なのを忘《わす》れてしまうのです」と書いていますが、本当はぜんぜんコメディ小説なんかじゃありません。ですが、本人がコメディだと思って楽しめるのなら、きっとそれでいいのです。

「読書」というと、なにかとてもまじめなことをするように聞こえます。学校でも、読書感想文が宿題になることはあっても、テレビゲームやマンガの感想文が宿題になることはありません。ですが赤ずきんが示《しめ》してくれているように、読書もテレビゲームやマンガと変《か》わらない、娯楽《ごらく》のひとつなのです。そして読書のおもしろいところは、映像《えいぞう》や絵が使われていないので、読んだ人の数だけちがう世界が生まれるところです。

たとえばこの〈ランド・オブ・ストーリーズ〉シリーズを十人が読めば、十人がちがう景《け》色《しき》を想像《そうぞう》し、ちがうにおいを、ちがう声を想像するものです。読書という娯楽のいちばん楽しく、いちばんすてきなところは、まさしくそこでしょう。読んだ人の個性《こせい》が、本という鏡《かがみ》に映《うつ》しだされるところです。赤ずきんはこの本で、自分が好きな本を何冊《なんさつ》か紹介していますが、その紹介文には赤ずきん自身の姿《すがた》があらわれているのです。みなさんもよかったら、同じ本を読んだ友だちに、ぜひとも感想を聞いてみてください。きっと自分とはまったくちがう感想を聞いて、びっくりすることがあるはずです。

この本を書いたクリス・コルファー本人も、おそらく赤ずきんのように、自分らしく読書を楽しんできたのだと思います。クリスは、「大きな悪いオオカミのおなかから助けられたあと、赤ずきんはきっとみんなに注目されてすっかりいい気になり、自分は大物だとかんちがいしたにちがいない」と思ったそうです。そのかんちがいのせいで、大人になってからやたらと人の注目をあつめようとしたり、女王になることに決めたりしたというわけです。『赤ずきん』を読んで、そんなふうに思った人はいるでしょうか？　けれど、そう言われてみると「本当だ！」と驚かされてしまうのです。

クリスがそのように感じ、人とちがう読みかたをしていたからこそ、この〈ランド・オブ・ストーリーズ〉シリーズに出てくる赤ずきんは、ほかの登場人物とはすこしちがう、ちょっと変わったキャラクターとして描《えが》かれているのでしょう。本編《ほんぺん》のあちこちで赤ずきんはみんなとちがうセリフや思いつきで笑《わら》わせてくれますが、それもこれも、クリスがみんなとちがう読みかたをしていたからなのではないでしょうか。クリスが読んだ『赤ずきん』の中で、主人公の赤ずきんは、まさしくこの本に出てくる赤ずきんのように考え、行動していたのです。もし家に『赤ずきん』の本があったら、ぜひもう一度、そんなことを考えながら読んでみてください。

それに、とても仲間《なかま》思いの赤ずきんがちゃんと描かれているのも、この本のすてきなところだと思います。みんなをお城《しろ》に呼《よ》んだらどうもてなそうかと考えて、一生懸命《いっしょうけんめい》に準備《じゅんび》をしている赤ずきんの姿はとてもほほえましく、すこし感動してしまいます。ときにはちょっとズレたことをして、みんなを「やれやれ、またか……」という気持ちにさせることはあっても、それは真心で考えた結果《けっか》だったのだ、とよくわかります。

赤ずきんらしくふる舞《ま》う、心から素直《すなお》になる、ということは、おかす失敗《しっぱい》もまた赤ずきんらしくなるということ。シリーズ本編でも、いかにも赤ずきんらしい失敗をたくさんしてしまいますが、それはきっと、自分の好きなように、正直に、一生懸命にやっているからなのだと思います。ふだんは赤ずきんにあきれている仲間たちも、きっと赤ずきんが普通《ふつう》になってしまったら、ものたりなくて、さびしい気持ちになるのではないでしょうか。もしかしたらみなさんのまわりにも、そんな人がだれかいるかもしれません。

〈ランド・オブ・ストーリーズ〉シリーズは映画化《えいがか》されることになっています。名物キャラクターの赤ずきんがいったいどんな女王として描かれるのか、今からとてもわくわくします。まだまだ公開は先になりますが、まちがいなくとてもおもしろい映画になるはずなので、みなさんもご期待《きたい》ください。

田内志文《たうちしもん》

クリス・コルファー

CHRIS COLFER

1990年5月27日生まれ。アメリカ合衆国出身の俳優、歌手、脚本家、作家。テレビドラマ『glee／グリー』のカート・ハメル役で知られ、同役での演技により、2011年第68回ゴールデン・グローブ賞最優秀助演男優賞を受賞。同年、『TIME』誌の「世界でもっとも影響力のある100人」に選ばれた。2012年より“The Land of Stories”シリーズを発表、全米でベストセラーに。2017年同作の映画化が決定し、監督・脚本を務めることが発表された。

田内志文

SIMON TAUCHI

翻訳家、文筆家、スヌーカー・プレイヤー、シーランド公国男爵。訳書に『ザ・ランド・オブ・ストーリーズ』シリーズ（平凡社）をはじめ、『Good Luck』（ポプラ社）、『こうしてイギリスから熊がいなくなりました』『失われたものたちの本』（東京創元社）、『フランケンシュタイン』『オリエント急行殺人事件』（KADOKAWA）などがあるほか、『ろうそくの炎がささやく言葉』（勁草書房）、『辞書、のような物語。』（大修館書店）に短編小説を寄稿。スヌーカーではアジア選手権、チーム戦世界選手権の出場歴も持つ。

THE LAND OF STORIES《ザ・ランド・オブ・ストーリーズ》

QUEEN RED RIDING HOOD'S GUIDE TO ROYALTY

赤ずきん　女王への道

2020年9月16日　初版第1刷発行

著者

クリス・コルファー

訳者

田内志文

企画・編集

合同会社イカリング

発行者

下中美都

発行所

株式会社平凡社

〒101-0051 東京都千代田区神田神保町3-29

電話　03-3230-6593（編集）03-3230-6573（営業）

振替　00180-0-29639

装幀

アルビレオ

印刷・製本

株式会社東京印書館

ISBN 978-4-582-31518-9

NDC分類番号933.7　四六判（19.4cm）　総ページ144

平凡社ホームページ https://www.heibonsha.co.jp/